LETTRES À LA TERRE

ELIA WISE

ARIANE ÉDITIONS INC.

Titre original anglais :
Letters to Earth
© 1998 Elia Wise
Harmony Books
201 East 50th Street, New-York, NY 10022, USA

© 1999 pour l'édition française
Ariane Éditions inc.
1209, Bernard O., bureau 110, Outremont, Qc, Canada H2V 1V7
Téléphone : (514) 276-2949, télécopieur : (514) 276-4121
Courrier électronique : ariane@mlink.net

Traduction : Marie-Blanche Daigneault, Martine Vallée
Révision linguistique : Monique Riendeau, Marielle Bouchard
Graphisme : Carl Lemyre
Mise en page : Bergeron Communications Graphiques

Première impression : septembre 1999

ISBN : 2-920987-37-2
Dépôt légal : 3e trimestre 1999
Bibliothèque nationale du Québec
Bibliothèque nationale du Canada
Bibliothèque nationale de Paris

Diffusion
Québec : ADA Diffusion – (514) 929-0296
Site Web : www.ada-inc.com
France : D.G. Diffusion – 05.61.000.999
Belgique : Rabelais – 22.18.73.65
Suisse : Transat – 23.42.77.40

Imprimé au Canada

Notre imaginaire doit aller jusqu'à inclure la vérité

Ma fille chérie,

Depuis l'âge où j'ai pu comprendre que la vie se déroule dans le moment présent, j'ai voulu en connaître les mécanismes, découvrir la nature de notre identité et la raison de notre présence ici. Ces questions s'imposent à la plupart des gens d'une manière ou d'une autre. Certains consacrent leur vie entière à explorer les océans de découvertes. D'autres, plus rares, explorateurs aguerris nantis de courage et d'une grâce insondable, réussissent à jeter l'ancre sur les rives de la terre promise. Moi, ta mère, qui compte les raisins dans tes céréales chaque matin, suis parmi ce nombre.

Je ne mène pas la vie d'une sainte, et mon expérience n'est conforme à aucun modèle de transcendance ou d'illumination que présente à ce jour l'histoire spirituelle ou la culture populaire. Je suis une amoureuse plus qu'un pasteur de l'amour ; une source plus qu'une adepte ; active plus que contemplative. Je m'exprime sans détour, plus encline à agiter les sédiments au fond de la casserole qu'à apporter l'harmonie. J'aspire à l'égalité, plutôt qu'à la servitude, avec la Source que nous avons désignée Dieu – ce défi, je l'entreprends avec humilité. Ma force réside dans le courage, le discernement et la dévotion. Mes faiblesses sont trop nombreuses pour les citer toutes – et sont sans importance pour l'Univers libre de jugements qui m'a ouvert les portes du savoir.

J'ai clairement dit que mon être s'est étendu en des dimensions universelles de la réalité de l'âme. Mais peut-être devras-tu tout de même expliquer, pour le reste de tes jours, que tu n'es pas extra-terrestre et que ta mère n'a jamais affirmé l'être non plus. Je ne sais pas quelles autres suites te réserve la publication de ces écrits. J'ai espoir que nos frères et sœurs habitant cette terre en bataille sauront passer outre à l'impulsion de polariser, de discréditer ou de rendre sensationnel ce livre et qu'ils l'accueilleront avec un cœur et un esprit ouverts. Le moment est venu. Le besoin se fait grandement sentir.

Lorsque tu auras atteint l'âge de lire l'enseignement que je présente ici et de l'assimiler, peut-être le monde se sera-t-il orienté vers l'intégrité, vers l'amour et la participation avec l'Univers entier. À l'époque où je vis, il n'en est pas encore ainsi. En apparence, nous admettons peu à peu le fait d'être une civilisation en grand besoin d'illumination personnelle et de transformation sociale. Cependant, nous sommes une humanité fracturée sur le plan spirituel. Notre unité s'est effritée en de minuscules morceaux disséminés, trop fragiles pour servir désormais. Des forces régénératrices émergent dans de vastes segments d'une population en transformation, mais nous ne possédons pas à ce jour de moyen évident apte à rescinder nos fragments épars. Comme des feuillets aide-mémoire autocollants [post-it], nous adhérons à des espoirs, à des promesses d'achèvements tangibles jusqu'à ce qu'un événement brutal balaye notre cohésion chancelante et que nous nous trouvions encore une fois dissociés d'un tout plus vaste auquel nous accordions un sens.

Au sein de cette atmosphère de quête spirituelle, une soif de simplicité et un respect de la nature réorientent la vie de millions de gens. Pour ceux d'entre nous qui ont déjà franchi ce seuil, il ne fait aucun doute que l'humanité traverse un processus de transmutation aussi important que le passage de la molécule à la cellule.

En nous libérant de notre vue mécanique du monde, nous nous préparons à faire l'expérience d'un univers imprégné de l'Esprit et de la nature multidimensionnelle de la réalité. Lorsque nous nous ouvrons à la réalité au-delà des dimensions du temps et de l'espace et tendons vers elle, la signification et la réalisation que nous cherchons affluent par cette ouverture.

Il fut un temps où la Terre n'était pas... puis elle fut.
Il fut un temps où l'océan ne portait pas la vie... puis il la porta.
Il fut un temps où les animaux n'existaient pas... puis ils furent.
Il fut un temps où la vie humaine n'existait pas... puis elle fut.
Il fut un temps où les formes de vie énergétiques n'existaient pas...
puis elles furent.
Il fut un temps où il n'y avait pas de vie multidimensionnelle...
Il fut un temps où il n'y avait pas de spiritualité universelle...

L'illumination passe désormais du domaine des dieux, des saints, des prophètes et des gourous pour s'intégrer à la vie des gens. Elle s'incarne en une conception collective nouvelle. Toi et les enfants de cette ère avez la chance d'exprimer cette incarnation de l'illumination.

S'il m'était possible d'élaborer pour toi un code sur lequel constamment modeler ta vie, un ensemble de pratiques simples auxquelles te référer lorsque tu te sens perdue ou confuse, il s'agirait de celui-ci : avec amour, compassion, confiance et créativité, sois sincère et directe en ce qui concerne tes désirs, tes besoins, tes sentiments et respecte le fait que ces valeurs sont déjà intégrées dans la nature même de ton Être. Aime la vérité du moment, même si tu souhaiterais cette dernière autrement. Tente de percevoir ce qui l'anime avant d'y accoler quelque désignation que ce soit. Discerne la voix qui sait, celle qui s'élève parmi les autres voix, parmi les autres courants de pensée ou de désirs. Aborde les valeurs sans jugement. Et cultive l'action courageuse, de sorte que ta vision et ta compréhension s'expriment par ta vie.

Tu m'as dit que l'amour en arrive à me déchirer. Mais je ne peux imaginer employer mon être autrement. Je te le recommande lorsque ce sera ton tour de te consacrer entièrement à quelque chose.

Dans ce corps minuscule, ma chérie, habite un être fantastique – un petit joyau. Tu es capable d'engendrer sans effort la joie et l'harmonie et de nous signaler à tous notre nature essentielle. Là où d'autres enfants possèdent une famille, pour toi, ici, plusieurs amis adultes passent à la maison et te serrent dans leurs bras. Ces amis sont les visionnaires, les émissaires de l'éveil global. Pour toi, ce ne sont pas les grands penseurs ou les guérisseurs planétaires qui jouent un rôle primordial dans la transformation du monde. Ils jouent néanmoins un rôle important pour toi. Ils te cajolent parce que ton esprit débordant leur semble irrésistible… et dans le fait de te serrer dans leurs bras, ils touchent également l'avenir auquel ils consacrent leur vie. Ils rendent hommage à la pureté et à la clarté avec lesquelles tu abordes le monde lorsque tu choisis de ne pas te trouver là où les adultes et les enfants se bousculent, là où ils concurrencent, là où ils s'entre-déchirent. Nos amis s'inclinent avec respect lorsque tu ne montres aucun intérêt pour l'accumulation ou la possession de biens. Ils acclament ton sens inné de l'intégrité lorsqu'ils te lisent *Le Petit Prince* et remarquent que l'amitié fallacieuse du renard pour le petit prince te bouleverse. Tu t'es montrée généreuse, pleine d'humour et de sagesse, même à cette époque de l'enfance normalement turbulente. Chacun perçoit ces trésors qui t'appartiennent et que tu partageras.

Il n'est pas possible pour toi de rentrer à la maison et de partager, avec ces amis qui te voient sans artifices, les comptines et les histoires que tu as apprises. Ils n'appartiennent pas à la famille proche, ne nous rendent que peu fréquemment visite ; ils sont néanmoins profondément connectés à la réalisation de ton potentiel. Ils te prêtent une attention respectueuse et laissent en toi des trésors indélébiles de valeur et d'appréciation personnelles. Quand tu seras grande, tu entendras prononcer leurs noms, loin de la maison. Les livres transmettront leurs idées, on discutera de leur contribution, et tu comprendras que ton enfance fut portée par les mêmes bras qui annoncèrent la vision transformatrice de l'humanité.

Fille adorée, tu es une enfant de l'Univers ; et en grandissant, celui-ci te fera connaître sa sagesse. Grâce à toi, il prendra conscience de ton être en tant qu'un univers entier en formation. J'ai rédigé ce livre pour que tu saches ce que j'ai appris au cours de ce processus. Cette information te sera indispensable lorsque tu te heurteras à l'étroitesse des questions et à l'insuffisance des réponses qu'offre notre système d'éducation.

Aujourd'hui, tu n'as que trois ans, j'en ai cinquante. Un jour, au fil de ta croissance, tu te lanceras dans une poursuite animée d'une ardente curiosité. Mue par une mixture alchimique d'amour et de douleur, et par la soif d'unité de ton âme, tu exploreras les dimensions invisibles de ton être. En t'immergeant en toi-même pour trouver le tout, ou en acceptant le tout pour te retrouver, telle une toile sans fin, tu y tisseras un être sacré qui se renouvellera sans cesse. Là, au carrefour du Soi et de l'âme, lorsque la *Totalité de ce qui est* deviendra la *Totalité de toi*, tu trouveras l'amour perpétuel, pur et infini, auquel tu aspires. Ses faisceaux d'intention absolue t'apparaîtront dès lors dans chaque amour imparfait que le monde t'offrira.

Ces écrits te resteront en vue de ta croissance et en tant que ta lignée lorsque tu ne pourras plus me prendre comme mentor, parce que je serai trop ta mère « terrestre » ou parce que je ne serai plus là pour te guider avec doigté à travers tes fougueuses inquisitions vers la réalité multidimensionnelle. Explore ces réflexions, fille chérie. Habite leur possibilité jusqu'à ce que leur réalité devienne toi. Ou encore, si tu es incertaine, prends ce qui t'est utile et garde pour plus tard ce que tu ne comprends pas encore.

Trois ans, et déjà émane de toi la sagesse éternelle, fraîche et libre de tout doute. Dernièrement, après t'être livrée à un jeu imaginatif visant à résoudre tes sentiments au sujet de l'abattage des porcs et de la mort de Charlotte dans ton conte préféré, tu as énoncé l'une de tes perspicaces intuitions : « Je crois que nous venons ici pour apprendre le courage de la vie, as-tu dit, puis nous retournons à l'endroit d'où nous sommes venus pour dessiner un grand cercle autour de tout. »

Avant même d'avoir trois ans, alors que nous venions d'emménager dans notre petit chalet dans les bois, tu t'es réveillée au milieu de la nuit. Moi, je travaillais à ce livre dans l'autre pièce quand je t'ai entendue. J'ai alors laissé mon travail de côté pour te rejoindre dans la chambre et me glisser avec toi sous les couvertures. Peu de temps après, tu t'es assise et, admirant par la lucarne la nuit resplendissante sous la lune opaline, tu as chuchoté : « Maman, regarde, la noirceur glisse de sur la lune. »

Et en effet, ma chérie, elle glisse.

Je te remercie pour la joie et le réconfort avec lesquels tu illumines ma vie.

Je t'aime pour l'éternité,

Maman

Chers gens de la Terre,

Je sais que plusieurs d'entre vous subissent les souffrances et affrontent les conflits qui découlent de l'avidité, des injustices et des déceptions personnelles. L'isolement que vous ressentez vous fait peur, de même que les erreurs de la nature humaine, la violence et le déséquilibre de vos vies. Je sais que plusieurs d'entre vous sont préoccupés par leur survie, alors que très peu ont trouvé le chemin de l'abondance. Je sais également qu'il vous pèse de savoir que la plupart de ceux qui ont obtenu cette opulence l'ont atteinte sans trop se préoccuper d'autrui. Je sais que trop peu de relations s'épanouissent, qu'une multitude de personnes sont meurtries par certaines expériences destructives vécues au cours de l'enfance, que trop peu de gens se sentent vraiment aimés et que juste quelques rêves pour un avenir meilleur semblent offrir de l'espoir – sans que quiconque ne sache comment remédier à tout cela.

J'ai partagé ces combats avec vous tout au long de ma vie. Je suis tombée sur cette terre depuis le ventre de ma mère, comme tous les bébés humains. Cependant, ma quête m'a menée au-delà de mon origine, vers une expérience multidimensionnelle et jusqu'à la source de mon être. Cette odyssée vers l'éveil ne m'appartient pas exclusivement. Elle s'offre aussi bien à vous qu'à moi. Bien qu'il semble que nous soyons des créatures de ce monde, nous sommes avant tout un peuple indigène de l'Univers. Et, transcendant les frontières présumées de notre individualité, chacun d'entre nous se dirige vers l'unification avec l'identité propre de son âme. De par sa nature multiple, il s'ensuit tout naturellement que l'expansion au-delà des sens physiques et des perceptions matérielles appartenant au domaine de notre identité locale nous mène tous à l'union avec des dimensions de nous-mêmes qui ne sont pas d'ici, ce qui fait de nous tous des extraterrestres. Nous participons tous à l'Univers dans sa totalité.

Au cours de ma quête de la vérité non apprivoisée de ma nature spirituelle et de mon potentiel humain, j'ai accompli l'union de mon Soi local et temporel avec mon âme multidimensionnelle et éternelle. Cet alignement engendra une fusion où j'ai pu puiser toute l'information concernant l'expérience et la compréhension cumulées ayant un lien avec toutes les manifestations jamais exprimées par mon âme. Cet amalgame spirituel eut un tel pouvoir transformateur sur moi que mon identité terrestre se dissipa à l'arrière-plan de la quintessence inédite du Soi universel.

Je fis l'expérience, au cœur de ce processus d'unification de l'âme, du déploiement de la création entière, depuis la forme-pensée jusqu'à la forme-lumière et la matière, depuis la cellule jusqu'à l'organisme planétaire. Au sein d'un collectif rassemblant plusieurs autres âmes, je fis l'expérience de me mouvoir depuis un état d'énergie pure pour atteindre une forme substantielle afin de créer la Terre elle-même. Puis, poursuivant le processus d'individuation, nous nous sommes manifestées en tant qu'éléments et composantes de la Terre – ses arbres, ses eaux, ses gaz, la vie dans l'océan, les vies animale et minérale, tout ce qui appartient intrinsèquement à la nature de la Terre. J'ai parachevé cette transfiguration et en ai étudié le fonctionnement.

Au fil de cette démarche, j'ai bénéficié d'une intuition et d'un amour d'une amplitude telle que le Soi ne put les contenir qu'au prix d'une expansion jusqu'à l'essence même de l'âme et son illumination.

J'entrepris ma recherche en toute candeur à l'âge de huit ans, lorsque les souffrances du monde m'apparurent inconciliables avec ses promesses. À vingt-deux ans, je fis la rencontre d'un être d'une nature exceptionnelle. Cette personne me confia être née sur terre sans pourtant y appartenir. Je prêtai foi à ses affirmations étant donné ses aptitudes à manifester ce que l'on considère comme impossible dans le cadre de la réalité ordinaire. Quatre ans durant, je me livrai à sa tutelle et lui permis de me montrer l'Univers tel qu'elle le connaissait. Sous sa responsabilité, mon exploration de l'Univers modifia peu à peu mon esprit pour finalement me transformer. Je lui avais accordé ma permission inconditionnelle, et, du coup, elle me faisait passer d'une dimension de la réalité à une autre, selon son désir. Tout comme Arthur avec Merlin, lorsque je voulais savoir ce qu'il en était d'être un vieil arbre, elle me propulsait vers un autre état, et je devenais l'arbre. Le processus transitoire durant ces expériences s'avéra si rapide et si fluide que je mis douze ans avant de pouvoir le retracer et expliquer sa nature, qui m'échappait jusque-là.

Mon mentor n'était pas loquace. Aussi m'offrit-elle très peu d'élucidations sur la nature des choses et ne mentionna presque jamais le processus que nous vivions ensemble – et ce, malgré mes incitations constantes afin d'obtenir une direction et une sagesse verbales. Comme méthode d'enseignement, elle provoquait l'expérience directe en me disant qu'il m'incombait de l'expliquer.

Je commence tout juste à comprendre cet être, à la fois dans l'ampleur de ses aptitudes, et dans la complexité de ses incohérences.

Cependant, j'attribue à une seule de ses splendides facultés tous les phénomènes dont je fis l'expérience : elle était capable de dissoudre la séparation apparente entre les choses.

Plusieurs entités de ce type habitent notre monde ; elles proviennent de différentes réalités planétaires et dimensionnelles, et sont nanties de missions diverses. Plusieurs d'entre elles ont pris naissance ici afin d'amener leur savoir cosmique dans le contexte de notre compréhension. Il n'existe pas de meilleur moyen de donner la vie à une chose que d'être cette chose.

Mon expérience de réunification avec la Totalité de ce qui est m'a menée à me considérer comme l'un de ces êtres. Plusieurs années d'un travail acharné furent nécessaires pour me souvenir de cette nature d'être universel et pour l'intégrer à mon identité humaine.

Depuis cette intégration, la conscience recombinée qui en est résultée m'a permis de servir de communicatrice, d'éducatrice et de traductrice entre l'humanité et le Grand Univers. Mon cœur et mon esprit sont également alignés sur eux.

Admettre publiquement ce rôle présente maints défis. Notre époque appuie entièrement le fait de se livrer à une quête spirituelle. Qu'il soit question de retrouver la santé, qu'il s'agisse de spiritualité ou de préservation, partout chacun se livre à une recherche. Nous n'avons pourtant aucun modèle contemporain et supportons mal l'achèvement d'une telle exploration. Ceux qui prétendent avoir trouvé des réponses peuvent nous sembler menaçants – comme si la force qu'ils ont acquise impliquait une faiblesse chez ceux qui n'ont pas trouvé, ou que cette force pouvait imposer à autrui une réalité ou un code de comportement. Devant une telle résistance, je tente de l'inclure comme si c'était le système immunitaire d'un corps de pensée à l'agonie et d'un corps politique aussi à l'agonie, luttant tous deux pour leur survie. L'humanité a encore besoin de cette résistance qui, elle, régule le rythme de notre transformation. Si nous effectuons des changements avant l'accomplissement de la convergence de vision et d'action à venir, notre corps collectif est susceptible de s'anéantir dans le chaos avant de pouvoir accomplir sa transformation. Nous ne souhaitons pas l'anéantissement. Nous désirons une guérison évolutive.

Malgré la profondeur des révélations qui m'ont été transmises, je n'ai aucune idée du comportement à adopter et j'ai hésité à partager publiquement ces révélations sur la nature de notre Univers, par crainte de commettre un acte d'orgueil ou d'arrogance spirituelle. Bien que ma dévotion et mon intention soient pures, je m'étonne de ce que l'Univers n'ait pas tenu compte de mes failles et m'ait accordé l'expérience multidimensionnelle comme partie intégrante de mon quotidien. C'est pour moi la preuve de l'amour inconditionnel qui accepte notre condition humaine. Et parce que mon cœur souffre pour nous tous devant l'état de notre monde, je sens l'impérieux besoin de partager la sagesse que je possède.

Les réalisations que je partage au fil des pages de ce livre résultent de tribulations au travers et au-delà du contrôle et de la peur, vers des domaines d'une réalité à la fois spirituelle et énergétique, voyages qui m'ont amenée à la réunion avec mon âme et avec la nature de l'Univers. La révélation et la perspective que je vous apporte peuvent sembler extraordinaires, mais il n'en est pas ainsi. Je ne suis que l'un des premiers arrivants à cette convergence du Soi et de l'âme – un émissaire. Je suis de ce fait chargée du défi et de l'opportunité de vous transmettre la vision et de vous enseigner la nature des choses. Jamais la jeune fille ou la femme que j'ai été avant mon éveil n'aurait pu écrire ce livre. Une telle présomption serait inconcevable. Je rédige donc ce livre à votre intention à partir de mon identité universelle, de la sagesse acquise en récupérant mon âme et de mes origines multidimensionnelles.

J'ai passé plusieurs mois à tenter de composer ce livre à partir d'un point de vue humain, en m'identifiant à la vie que nous partageons sur terre. Mais il me fut impossible de présenter cette connaissance à partir de ce type de conscience. Il m'a fallu me situer dans les dimensions prolongées de moi-même afin de percevoir et d'articuler les mécanismes de l'Univers, plutôt que par sentiment de supériorité ou de séparation. C'est là la raison pour laquelle je m'adresse à « vous » de la Terre et non pas à « nous ». Pardonnez-moi ce biais. Sans cela, je n'aurais pas su transmettre la vision d'ensemble.

Plusieurs dimensions de la réalité auparavant méconnues deviennent à l'heure actuelle évidentes pour maintes personnes sur terre. Cet impact suffit à provoquer une modification de conscience qui redéfinira les valeurs et les priorités humaines, ce qui transformera la réalité du monde. Ce changement n'est pas sans entraîner des bouleversements, une polarité intensifiée entre l'ancien et le nouveau, des défis personnels difficiles exigeant le recours à l'innovation et à la transformation, ainsi que l'apparition de faux prophètes. Je vous conseille de remettre en question tout être censé représenter une conscience évoluée et qui, toutefois, ne la manifesterait pas sous forme d'amour. Je vous mets en garde contre le fait de confondre votre compréhension de ces idées et du savoir qui fait surface avec une véritable expansion vers une condition de l'être plus universelle. Les idées et la connaissance ne suffisent pas à parfaire l'être. L'amour est ce qui épanouit. Sans l'amour, cette époque ne débouchera que sur une nouvelle ère d'information. Mais nantie de l'amour, l'humanité atteindra l'époque de sa réalisation – une ère de réalisme inspiré.

À mesure que la Terre approche d'une époque de fertiles échanges avec le cosmos, les peuples de la Terre et ceux de l'Univers entier doivent faire coïncider leur expérience, leur information, leur compréhension. J'ai rédigé cet ouvrage en vue d'instaurer un tel dialogue, d'éveiller votre savoir intérieur, et pour vous garder à l'écoute d'un état d'inquisition informé et ressenti susceptible de vous mener à l'expérience directe de l'Univers.

Il est certain que vous aurez des questions ou des intuitions qui dépasseront l'envergure de celles que j'ai traitées au fil des pages qui suivent. En tant que porte-parole d'un collectif d'êtres universels, je répondrai aux questions selon ma capacité, par autant de formes de communication qui se présenteront à nous au cours de ce dialogue.

Je vous invite à vous joindre à moi pour une odyssée au cœur de l'Univers et de toute cette question. Voilà l'ultime aventure !

Avec amour,

Elia

LETTRES À LA TERRE

1. *Comment nous, du cosmos, savons-nous*

lorsque vous avez besoin d'assistance ?

Est-ce que nous vous entendons ?

ui, nous vous entendons. Lorsque vous poursuivez un questionnement ou une exploration à son niveau le plus profond dans les ressources de votre planète et n'obtenez toujours pas satisfaction à votre requête, vous suscitez alors une réponse, un stimulus, dans l'Univers. Cependant, tant que les limites de vos ressources locales ne sont pas atteintes, votre stimulus est à l'œuvre dans votre monde, pareil à une balle de racketball. Celle-ci percutera contre les murs et les angles dans sa trajectoire, ou, encore, participera à une série de joutes, jusqu'à ce qu'elle vous revienne, munie de ce que vous recherchiez. Si l'objet de votre quête dépasse les limites du court, alors la balle percutera contre l'Univers.

Il n'est pas nécessaire d'émettre un appel vers le cosmos avec une intention formelle ou dans le cadre d'une discipline spirituelle ou religieuse. Cela se produit spontanément. La nature même de l'investigation évoque la réponse. Chaque entité dans l'Univers peut évoquer une réplique de la part de n'importe quel autre être ou de l'ensemble des êtres. Ainsi, tout savoir, toute sagesse, tout amour dans l'Univers sont à votre disposition.

Si vous cherchez à obtenir des réponses, il vous faut poser les questions et être ouvert à une réponse – peu importe sa provenance. Qu'elle fuse de l'épicier, de la radio, du jardin ou du cosmos. Si vous diluez le focus d'une inquisition en y mêlant plusieurs requêtes simultanées, vous réussirez peut-être à en transmettre quelques-unes, ou même toutes. Cependant, il vous sera difficile d'associer le ou les feed-back apparaissant dans votre vie à l'une ou l'autre de ces demandes. Si vous renoncez à une requête ou en atténuez l'intensité par votre impatience, votre colère ou votre confusion, l'émission de votre stimulus perdra de sa clarté. En de tels cas, nous ne recevons pas clairement votre question ou identifions mal votre besoin. Votre démarche atteint un maximum d'efficacité lorsque vous vous concentrez sur une seule question à la fois et laissez par la suite jaillir la réponse.

La simple quiétude, accompagnée de concentration, servira à maximiser la clarté d'émission et de réception. Voilà pourquoi les états méditatifs, contemplatifs ou oniriques présentent des terrains fertiles où le dialogue avec l'Univers pourra s'épanouir. Lorsque se développe votre aptitude à la quiétude interne et à la concentration, votre dialogue avec l'Univers se poursuit même au cœur du tumulte et des activités de ce monde.

Votre stimulus nous atteint beaucoup plus rapidement que ne vous parvient notre réponse – lorsque celle-ci doit correspondre à l'espace-temps de votre réalité. Pour que l'Univers vous informe par l'entremise d'expériences pratiques, un long laps de temps s'avère nécessaire. Par contre, l'information que communique l'Univers par le biais de l'expérience contemplative, méditative ou sensitive est instantanée – pourvu que vous soyez prêt à la découverte. Et « être prêt » peut prendre quelques instants ou quelques années.

Votre stimulus, en parcourant l'Univers, ne prend pas la forme d'un appel à l'adresse de quiconque pour le moins disposé à aider. Le stimulus que vous émettez dépend spécifiquement de la nature de votre interrogation. Seul un être possédant la pleine réalisation de ce que vous recherchez sera touché par votre appel.

~~~

Chaque être dans l'Univers incarne une fréquence unique et l'exprime. Ces fréquences ne sont pas attribuées à la façon des numéros de sécurité sociale. Elles prennent vie avec notre venue en ce monde. Elles sont nous. Pour chacun de nous dans l'Univers, notre fréquence individuelle constitue notre identité première, essentielle, éternelle. Celle-ci correspond à un aspect du tout – un aspect de la Source/Dieu/la Totalité de ce qui est. Et cette configuration s'est individuée à partir de l'Un et s'est déployée en une autoexpression autonome. Ce processus permet à notre Source d'exprimer simultanément toutes ses facettes, de faire l'expérience de toutes les possibilités relationnelles de ces aspects et d'explorer sa propre nature illimitée. De ce « renoncement de l'ego » de l'Un découlent les idées, philosophiques ou spirituelles, sur la dissolution et la transcendance de l'ego.

Tout être dans l'Univers constitue une partie du tout, une fréquence inégalée au sein du Om collectif. Le fait d'être unique suppose d'avoir une valeur unique, à la fois mathématique et conceptuelle. Nous incarnons des concepts tels la sympathie, l'empathie, la compassion, la pitié, l'innocence, la simplicité, la complexité, la collaboration, l'épanouissement, l'expansion, l'harmonie, le contraste, l'humour. Bien que ces valeurs soient toutes interdépendantes, chacune possède une fréquence unique, discernable des autres, qu'il est possible de représenter mathématiquement.

Chaque fréquence/valeur universelle possède la capacité de se manifester sous une infinité de manières et de formes. Une des manifestations possibles est celle de la forme humaine. Puisque tous les êtres humains partagent ces origines de fréquence et de valeur, chacun de vous possède donc cette capacité de manifestation infinie. À votre insu, d'autres dimensions défilent en synchronie avec la vie que vous avez conscience de vivre. D'entre celles-ci, la dimension qui vous semble la plus familière est celle de l'âme. Cette dernière est nantie de plusieurs facettes qui se soutiennent mutuellement dans la réalisation de leur nature, tout comme chacun d'entre nous soutient Dieu/la Source dans la sienne.

D'une part, de par votre fréquence unique, vous êtes individué. D'autre part, vous êtes une composante d'un collectif plus vaste de fréquences. L'humanité désigne souvent sa collectivité par l'expression « inconscient collectif » ou encore, « conscience collective ». En vérité, chaque entité sur terre constitue une composante de maintes identités collectives. Vous êtes un élément de l'ensemble de votre époque, de votre espèce, de votre planète et, ultimement, du collectif universel. Vous êtes aussi une partie du collectif de votre âme – les multiples manifestations que l'on peut considérer comme vies « antérieures » et « futures ».

La simultanéité de vos états individuel et collectif n'est qu'une démonstration de la faculté que possèdent les êtres humains d'exprimer leur Soi de façon concomitante. Enfants de l'Univers, vous êtes par nature multidimensionnels, malgré le fait que votre attention ne soit focalisée qu'en trois dimensions spatiales et en une seule dimension temporelle, telles qu'on les conceptualise sur terre. Vous mesurez votre réalité d'après les paramètres cartésiens généralement admis, soit la hauteur, la largeur, la longueur, et d'après ceux qui régissent le temps. De ce fait, vous êtes non seulement dépourvus de la dimension de l'âme, mais limités au niveau de l'esprit, des objectifs et du sens. Votre modèle scientifique actuel ne rend pas compte efficacement de l'être humain. La science prend cependant conscience de la nécessité de fournir une explication juste et cherche activement le moyen de le faire.

~∽~

Tous les êtres, toutes les formes de vie dans l'Univers sont capables d'interaction mutuelle – peu importe les dimensions sur lesquelles nous nous focalisons, les états qui nous habitent ou les endroits où nous nous situons dans l'espace et le temps. Comment cela est-il possible ? Chaque être dans l'Univers incarne toutes les fréquences, toutes les valeurs de cet univers. Chaque entité est donc intrinsèquement nantie d'un interphone naturel lui permettant de communiquer avec toutes les autres. Sans nécessiter l'intervention d'un acte conscient de notre part, bien qu'intensifiés par notre intention consciente, nous émettons continuellement l'un vers l'autre, nous nous informons mutuellement de l'intérieur.

Toutes les fréquences et toutes les valeurs sont incorporées en nous. Cependant, tous, nous en possédons une qui est différente mais fondamentale pour notre identité. Cette valeur unique forme le noyau de l'individu, et nulle âme dans l'Univers ne possède la même dans cette position centrale qui la gouverne.

Votre fréquence/valeur sert d'axe autour duquel se constelleront celles composant votre identité, votre expérience et votre continuum mental. Pourvue de la puissance que lui accorde l'intégrité de votre âme avec la Totalité de ce qui est, elle est l'instigatrice de votre cohérence multidimensionnelle. Cette valeur axiale est celle qui inspire la création de vos stimuli et de

vos réactions ainsi que des synchronicités qui en découlent. Si
vous créez votre expérience, et par le fait même votre identité,
depuis votre impulsion fondamentale, ou valeur axiale, celle-ci est
alors alignée sur votre âme. Vous êtes véritablement « centré ».
Cette prise de pouvoir, vous la ressentez comme de l'amour, de la
paix, du courage, de la créativité, de l'inspiration, un abandon,
une direction intérieure, une orientation supérieure ou l'unicité.

Puisque l'Univers ne contient pas deux êtres doués de la même
fréquence/valeur axiale, personne ne configure alors l'Univers de
la même manière. La valeur axiale de chaque entité orchestre
toutes les autres qui sont reliées à elle. En conséquence, chacun
de nous dans l'Univers s'est constellé d'après une organisation
unique.

Chaque valeur axiale d'un être existe en tant qu'appui au sein de
tous les autres êtres. Cela signifie que mon intégrité et ma réali-
sation de soi vous informent et vous soutiennent intérieurement et
que votre intégrité et votre réalisation de soi agissent de la même
façon sur moi. Voilà le rapport que tous nous entretenons l'un
avec l'autre, peu importe notre condition d'être ou notre localisa-
tion dans l'Univers. Les arbres, les étoiles, le royaume minéral et
les êtres peuvent communiquer avec vous parce qu'ils font partie
intégrante de ce que vous êtes. Tous possèdent ce pouvoir.

En tout temps, que vous soyez aligné ou désaligné sur le plan de
l'âme, la constellation de toutes les valeurs autres reliées à votre
valeur axiale, ainsi que leurs amplitudes fréquentielles, forment la
sphère qui constitue votre champ énergétique. Votre corps physique vit au sein de votre champ énergétique. Celui-ci vit au sein
de votre âme. Votre âme vit au sein du champ énergétique de votre
âme, et celui-ci vit au sein de la Source/Dieu, qui à son tour vit au
sein de…

Votre valeur axiale se déplace avec vous ; elle est vous. C'est *votre* fréquence/valeur. Vous la parsemez partout où vous allez. Vous êtes son diapason, son artiste, son agent, son ardent défenseur. Vous n'avez pas conscience d'emporter avec vous cette valeur là où vous allez parce que vous n'avez jamais été là où elle ne se trouvait pas. Qu'est-ce qui entre dans une pièce lorsque vous y pénétrez ? Qu'est-ce qui diminue après votre départ ? Vous êtes peut-être le dernier à connaître ce qui vous compose, vous. Ceux qui vous entourent perçoivent cette valeur mais ils ne peuvent que rarement la nommer. Elle les élève à votre contact et s'imprègne en eux avec une amplitude accrue lorsque vous les quittez.

Nous, les facilitateurs de communication interdimensionnelle, avons la faculté d'aller là où, dans l'Univers, notre fréquence, ou valeur axiale, est requise afin de fortifier ou de catalyser la conscience. Le feed-back mutuel cosmique/terrestre dépend entièrement de cette capacité de stimulus/réponse.

Les manières de répondre à un appel sont aussi nombreuses que les besoins. Dans le cas présent, j'ai choisi de répondre à mon appel en prenant naissance comme être humain sur terre, en amenant ici ma conscience sous une forme dite « moi ». C'est là une approche qui s'avère encombrante pour la plupart des êtres universels et pour l'accomplissement de la plupart de leurs objectifs. Une vie entière semble interminable lorsque nous devons la vivre, et nous devons y demeurer pendant toute sa durée. En réponse à mon appel particulier, elle constitue cependant le moyen idéal pour amener ma fréquence et ma valeur à la vie sur terre. De toute évidence, vous avez également choisi la vie comme expression personnelle.

Sur réception d'un stimulus en provenance d'un individu ou d'un collectif, nous du Grand Univers répondons spontanément à l'appel, tout comme vous le faites lorsque sonne le téléphone. D'habitude, vous ne savez pas qui tente de vous joindre, ni à quel propos, avant d'avoir répondu. Cependant, les êtres universels qui se consacrent à la réalisation de soi interdimensionnelle sont conscients d'être appelés à fournir la fréquence unique qu'ils incarnent pour quelqu'un, quelque part, qui aspire à la réalisation de cette valeur. Pour accomplir cette réalisation, nous fusionnons notre conscience à celle de la personne qui émet le stimulus. S'il s'agit de vous, l'être universel qui incarne ce que vous cherchez s'intégrera avec votre conscience. Une fois accomplie la fusion, vous constaterez que votre compréhension atteint des niveaux plus vastes et rejoint des réseaux de pensée qui font évoluer votre découverte. Il faut maintenant définir la notion de conscience humaine, puisque ce concept a été abordé.

La conscience humaine est la capacité de focaliser, de diriger et de donner un sens à la conscience de Soi.

Notre fusion avec vous ne vous mène pas à l'illumination. Nous ne vous donnons pas notre conscience. Nous répondons plutôt à votre stimulus en vous ouvrant des voies de compréhension qui ne vous sont pas directement accessibles depuis votre système de réalité. Ces rapports stimulus/réponse permettent à tous les existants ainsi qu'à toutes les planètes et dimensions un accès égal à la totalité de la conscience universelle. Il n'en tient qu'à vous de recourir, ou non, à ces ressources universelles ; la manière de les employer vous appartient également.

Comment vous assurer qu'un être universel vous seconde ? Vous découvrez que vous êtes subitement doué d'une clarté, d'une compréhension ou d'une inspiration, sans explication apparente. Vous dépassez mystérieusement la simple émotivité, la complexité ou l'invisibilité d'un sujet, pour accéder à une perspective plus mature. C'est là une preuve fréquente que vous bénéficiez d'une aide cosmique. Plus radicalement et moins souvent, l'aide universelle vous plongera momentanément dans une expérience de la réalité altérée. Parce que cette expérience vous informe d'un point de vue subjectif, elle est généralement difficile à valider, à reproduire ou à communiquer. Vous pouvez puiser l'inspiration, ou la révélation, en réfléchissant à l'expérience, mais seul le moment de son occurrence recèle l'alchimie.

Dans les cas où notre réponse à votre requête doit passer par votre expérience de vie, nous unissons notre conscience à la vôtre pour qu'ainsi vous perceviez vos expériences sous un jour nouveau. Une fusion est susceptible d'élever vos fréquences et votre cycle de perception de façon à permettre une plus grande compréhension de la réalité : des choses nouvelles vous apparaîtront ou les circonstances précédentes prendront une allure différente. Dans de telles situations, notre intégration optimise votre expérience. Elle peut également améliorer la qualité de votre concentration. Il se produit alors une intensification du magnétisme de votre champ énergétique personnel, et ceci affecte la teneur de ce que vous attirez à vous et la rapidité avec laquelle vous êtes susceptible d'attirer les choses. Dans ces circonstances, notre fusion aide à produire l'expérience.

Lorsque jaillissent de telles avancées, l'être universel avec qui vous communiez pourrait être votre âme, qui contient la sagesse accumulée au fil de toutes les expériences qui furent vôtres. Si, toutefois, vous ne vous sentez pas à la hauteur ou avez l'impression d'être dépassé par les événements, vous avez tendance à chercher l'aide d'une entité qui vous est supérieure plutôt que l'assistance de votre Soi supérieur. Plus souvent qu'autrement, votre réponse, les conseils, proviendront de votre Soi connaissant – de votre âme. Lorsque vous refusez de croire à celui-ci, ou que la fréquence que vous recherchez ne peut être communiquée efficacement, l'être le plus apte à catalyser votre intuition est celui qui fusionnera avec vous. Il pourrait s'agir d'un être de l'Univers ou d'un être universel à l'unisson avec vous.

Un être de l'Univers est un membre de la population de l'Univers. Un être universel est un membre de la population de l'Univers qui est illuminé universellement. Il peut consciemment participer à n'importe quel système de l'Univers ou état d'être. Un être universel existe au-delà de la dualité, du modèle évolutionniste, et par-delà les schémas de Dieu que vous avez conçus.

Il ne nous est pas nécessaire, la plupart du temps, d'identifier votre localisation spatiale ou temporelle pour répondre à votre stimulus. Sans interruption, nous laissons notre conscience être magnétisée, ou attirée, vers le lieu où elle est requise. Nous aidons ainsi les êtres à réaliser en eux-mêmes les valeurs que nous incarnons. Puisque nous sommes conscients d'avoir une intégrité partout dans l'Univers, notre sentiment de sécurité ne dépend pas du fait de connaître notre lieu d'existence. C'est là un grand avantage de la conscience universelle.

Nous, qui vous appuyons depuis le cosmos, ne connaissons qu'occasionnellement le contenu de notre fusion avec vous. Notre expérience est plus souvent de nature énergétique que cognitive. Fréquemment, nous prenons conscience d'une intégration à laquelle nous avons assisté en observant un changement portant notre signature. Une telle chose vous est probablement arrivée. Imaginez-vous que, plusieurs semaines durant, vous soyez absorbé par l'idée d'un programme informatique qui enseignerait l'empathie aux gens. Et que, quelques mois plus tard, un reportage télévisé présente un programme informatique novateur conçu pour développer l'empathie. « C'est incroyable ! » « Stupéfiant ! » ou encore, « Que c'est étrange ! » penserez-vous. Voilà un thème très spécifique qui relève de la coïncidence énigmatique. À moins de ne comprendre les mécanismes de l'Univers, il est peu probable que vous songerez avoir collaboré à la réalisation de cette idée, ou y avoir participé en tant qu'échantillon choisi au hasard, ou que vous constatiez avoir glané l'idée sur les ondes cosmiques alors qu'elle n'était qu'embryonnaire. C'est pourtant ce qui s'est produit !

Ceux d'entre nous qui s'expriment en construisant des passerelles de communication interplanétaire et interdimensionnelle recherchent constamment les occasions d'intégrer leur conscience à de nouvelles dimensions. Cela nous sert, cela vous sert, et cela sert à l'unification consciente de l'Univers.

La rencontre de deux êtres ne se produit jamais pour le bénéfice d'un seul.

Le rapport stimulus/réponse entre nous est biunivoque. Nous, du Grand Univers, sommes parfois en quête d'un savoir que vous seuls sur terre êtes en mesure de nous fournir. Nous sommes alors le stimulus, et vous êtes la réponse. Je suis attirée à la Terre pour réaliser mes rêves autant que les vôtres. Je rêve de voir l'aspect de Dieu que j'incarne – ma fréquence et ma valeur – s'exprimer en lumière de par l'Univers. L'humanité rêve de vivre dans un monde où la valeur de chaque personne serait reconnue et appréciée. Et l'humanité rêve de comprendre la nature de l'Univers. Vos rêves m'invitent à réaliser le mien.

2. Qui est le grand opérateur ?

Dieu existe-t-il ?

L'énergie, *force vitale* ou *chi*, est la substance qui compose tout ce que contient l'Univers. Elle est semblable à l'alphabet. Toutes les lettres nécessaires pour former un mot sont présentes dans l'alphabet, mais une force consciente doit les choisir et composer les mots, les phrases et les textes pour accéder à l'existence. Tout comme les mots composés à l'aide de l'alphabet, la fréquence/valeur unique que chacun de nous incarne constitue une constellation d'énergie créée à partir d'un stimulus conscient.

Il n'existe pas de marionnettiste qui, depuis son poste caché, tirerait vos ficelles invisibles. La Source créatrice nous accorde toute énergie avec le pouvoir d'autogouvernement que procure l'intelligence intégrale. Chaque valeur dans l'Univers, et de ce fait, chaque être dans l'Univers, sont interactifs et interdépendants à l'intérieur d'un circuit intégré. L'Univers est si bien nanti que toute forme d'existence, jusqu'à la plus infime microparticule, est dotée de l'intelligence du tout. Elle n'est pas forcément de nature cognitive ; c'est une intelligence essentielle de nature vibratoire et magnétique inhérente à toute forme d'énergie.

Il y a des dimensions au-delà de celles généralement admises sur terre qui possèdent un langage commun à toute conscience, à toute forme d'existence. C'est le langage du stimulus. Toutes les fréquences, peu importe leur condition d'être, communiquent en émettant des stimuli, formant ainsi une conversation universelle continue et en perpétuel changement – l'Om universel – où chaque stimulus déclenche une chaîne éternelle de communication fréquentielle.

Les stimuli que communiquent les fréquences dans le contexte des réalités tridimensionnelles prennent la forme de *vibrations*. Celles-ci sont des signaux d'émission locale appartenant à une fréquence/valeur particulière. Toute altération d'un état, même infime, produit un changement dans les vibrations que vous, ou toute autre incarnation d'une fréquence/valeur communiquez. Elles se traduisent en présences énergétiques et sont identifiées par le sentiment qu'elles provoquent. Vous en faites l'expérience lorsque, dans une pièce remplie de gens, vous ressentez les « énergies ». Celles-ci s'expriment par des manifestations visuelles, auditives, olfactives et cinétiques. Au fil de la découverte de vos sens subtils, vous en viendrez à les percevoir.

Les mots, et les phrases résultant de leurs combinaisons, sont des moyens de transmission des stimuli vibratoires. L'intuition, la prémonition et la télépathie sont également des modes de communication du même genre. Dans la mesure où vous en êtes conscient et y réagissez, vous êtes ouvert à la communication universelle dont jouit votre âme.

Le langage des stimuli émane d'une dimension de l'âme provenant de l'Univers. Cette dimension d'être est la « centrale », le *lieu* de circuits intégrés à l'intérieur desquels la conscience de chaque être est interactive. L'émission de stimuli au sein de cette dimension provoque des réponses dans le contexte des systèmes de réalité où ils ont une pertinence. Tout sentiment de destinée, de prédestination, découle de cette relation entre les stimuli universels et les réponses terrestres de votre fréquence/valeur.

Tous les états et toutes les formes d'existence de par l'Univers sont en communication constante et spontanée les uns avec les autres grâce à leur faculté essentielle de stimulus/réponse.

La source commune à toute énergie est ce que vous recherchez. Le fait de nommer cette source Dieu et de lui attribuer un amour infini, l'intégrité, la créativité et une capacité transformationnelle atteste d'une compréhension de la Source de toutes les réalités connues. Lui imputer des caractéristiques relevant de la dualité – bon/mauvais, correct/erroné, perfection/imperfection, maître/disciple, récompense/punition, obéissant/désobéissant – indique une compréhension fallacieuse. Celle-ci accentue la séparation qui dissocie l'humain de l'intégrité de son origine. Bien que ces conditions dualistes possèdent une réalité dans le contexte du monde, elles constituent des *expressions inverties* des valeurs essentielles ; elles ne représentent en aucun cas ces valeurs et n'ont aucune réalité dans le contexte de l'Univers illuminé.

L'attribut inhérent qui permet la communication entre les entités d'énergie est le magnétisme. Toute énergie, peu importe sa simplicité ou sa complexité et sa localisation dans l'Univers, possède la capacité innée d'effectuer des échanges magnétiques avec toute autre énergie. On peut décrire ce magnétisme par la désignation Magnétisme vibratoire sympathique (MVS). Ce type de magnétisme ne correspond pas à l'acception générale du terme, par exemple dans le cas de l'électromagnétisme. Ce der-

nier n'en est qu'un aspect discernable. Le Magnétisme vibra-
toire sympathique appartient à la nature fondamentale de Tout
ce qui est.

Nul besoin d'être un scientifique ou un être cosmique pour bien comprendre son fonctionnement. Il suffit simplement d'être un observateur attentif. Vous en faites l'expérience chaque jour, sans le reconnaître ou le désigner. Vous pensez à un ami, et le téléphone sonne à cet instant précis. Le bouquin souhaité surgit juste au bon moment. Un mot que vous venez d'apprendre apparaît partout. Un rêve, une conversation ou un passage jaillit de vos souvenirs d'enfance juste au moment où son sens s'avère directement pertinent à votre expérience. Cette capacité d'inter-action magnétique est inhérente à toute énergie. C'est le magné-tisme vibratoire sympathique.

Autrefois, votre civilisation aurait attribué de tels phénomènes à une force psychique abstraite, à un sixième sens, à la chance pure, ou au hasard. Carl Jung constata ce phénomène récurrent dans l'expérience humaine et le nomma *synchronicité*, qu'il définit ainsi : « La coïncidence significative de deux ou plusieurs événe-ments, sous l'action de quelque chose d'autre que la probabilité de la chance. » Le magnétisme sympathique vibratoire est cette chose *autre* à laquelle référait Carl Jung. La vie et l'expérience sur terre sont facilitées par le MVS. Toutes les dimensions de l'Univers coïncident.

Le phénomène des coïncidences n'est pas inexplicable. Celles-ci
attestent du magnétisme vibratoire sympathique, soit la capacité
naturelle d'une entité d'énergie d'attirer à elle ce qui est indis-
pensable à sa transformation ou à sa réalisation.

Prenez un atome avec un électron libre sur son orbite externe en quête d'un autre atome dépourvu de cet électron sur son orbite externe. Tous deux partagent un souhait, quelque chose les incite à se rencontrer. Cette chose est le magnétisme vibratoire sympathique. Leurs covalences chimiques deviennent le véhicule du MVS. L'alliance chimique est le résultat, ou l'achèvement, de leur souhait intense. La rencontre des atomes recèle la réalisation. Chacun se transforme, et un objet inédit apparaît. Ce qui s'avère exact pour les atomes s'avère également exact pour les constellations d'énergie plus vastes. Que ce soit par soif de plénitude ou par désir de satisfaction éphémère, les gens sont régulièrement attirés les uns vers les autres et vers des occasions susceptibles d'induire une transformation ou la réalisation de soi.

Examinons quelques-unes des myriades de voies par lesquelles le magnétisme vibratoire sympathique permet à la réalité de se manifester. Réfléchissez à la confection d'une tarte aux cerises : d'abord, on prépare la croûte, puis on dénoyaute des cerises fraîchement cueillies pour la remplir. Jusqu'à ce que le fond ne soit plein de cerises, la tarte ne peut accomplir son potentiel. Si le pâtissier manque de cerises, il ne peut employer n'importe quelle énergie s'offrant à lui – oranges, serviettes de papier, journaux – pour remplir le fond de la tarte. Il se mettra plutôt à la recherche d'autres cerises. Cet exemple montre que le magnétisme vibratoire sympathique exige une énergie, ou une fréquence, de même type.

La tarte en question correspond à une recette et nécessite un pâtissier chargé de sa confection. Il est facile de voir qui crée le magnétisme. En ce qui concerne votre vie, toutefois, il n'est pas évident de déterminer celui qui en rassemble les ingrédients. Il semble parfois que les fruits tombent dans le fond de la tarte avant même d'avoir été mesurés et que, afin de brouiller les pistes, ils aient entraîné avec eux le journal quotidien. En réalité, votre vie entière se cuisine constamment. Vous êtes le pâtissier, le magnétiseur. Tous les ingrédients de n'importe quelle recette proviennent de l'Univers – d'une énergie libre ou d'une énergie constellée sous forme d'êtres, vos frères. Votre magnétisme possède la spécificité de votre besoin. Cependant, il n'est pas nécessaire pour vous de connaître les ingrédients à rassembler pour combler votre besoin. Votre participation au processus consiste à fournir un stimulus précis par le biais du sentiment, de l'intention ou de l'action, et à garder une ouverture dans votre vie en vue de recevoir la réponse.

Si vous êtes un fin traiteur, des cerises trop mûres ne rencontreront peut-être pas vos critères de qualité. Suivant les spécifications de votre intention, le MVS peut restreindre la sélection d'après la grosseur, la qualité ou la variété des cerises requises afin de confectionner votre tarte, ou laisser le choix ouvert. Si l'énergie souhaitée n'est pas disponible en vue de répondre au MVS – si le travail ne peut être accompli dans les limites acceptables pour cette tarte aux cerises –, il est possible alors que rien ne soit apporté pour la terminer. En tant que pâtissier, il se peut que vous ayez à redéfinir votre intention afin de demeurer cohérent par rapport à ce qui est en disponibilité dans l'Univers. La tarte aux cerises pourra être repensée : ce sera des croissants aux cerises, un gâteau aux cerises, du compost, ou un enseignement sur la logistique culinaire. Cet exemple montre que le magnétisme vibratoire opère comme catalyseur de changement, produisant ce qui est nécessaire à l'accomplissement en incitant le pâtissier à redéfinir son intention. Là où un pâtissier, opposant une résistance, se sent contrarié, voire opprimé, un autre, réceptif, renonce à l'idée de la tarte ou invente une nouvelle façon d'y parvenir, transformant l'opposition en un défi créatif plutôt qu'en une contrainte.

Considérez encore une autre possibilité parmi la myriade de possibilités du MVS. Lorsque l'obtention de la quantité de cerises requise pour terminer la tarte s'avère impossible, le pâtissier peut formuler l'intention de créer, ce qui magnétise une nouvelle ressource. La seule exigence du MVS est que la chose magnétisée résonne et coopère avec succès avec les cerises. Les combinaisons cerises-oranges, cerises-citrons ou cerises-raisins pourraient s'avérer incompatibles. En l'absence d'un catalyseur ou d'un agent harmonisant, leurs différentes valeurs pourraient ne pas bien s'intégrer, et les tartes auraient alors très mauvais goût. Cependant, cerises et rhubarbe pourraient s'aligner et produire une sensation gustative agréable. Cet exemple illustre le magnétisme vibratoire sympathique prenant la teneur d'une énergie harmonieuse.

L'Univers est conçu pour explorer et réaliser son potentiel en facilitant la transformation ou la réalisation.

L'idée de *transformation* est facile à saisir. L'eau se transforme en vapeur ou en glace, la colère devient compassion, la chrysalide se métamorphose en papillon, et demain deviendra aujourd'hui. Ce sont là des transformations admises et comprises. Le concept de la *réalisation* d'un être humain, ou de l'humanité dans son ensemble, est toutefois moins répandu. Il s'agit de donner réalité à ce qui est possible, d'actualiser le potentiel d'une identité individuelle ou collective. Cette notion grandiose comporte la réalisation quotidienne de chaque individu, des instants de compréhension et des sensations uniques qui sont en soi de minuscules univers d'inspiration.

Toutes les manifestations de la transformation et de la réalisation découlent du magnétisme vibratoire sympathique – de l'énergie attirant à elle ce qu'exige la réalisation du potentiel du moment.

En l'absence de cette intelligence magnétique inhérente à toute énergie, les œufs et la farine ne pourraient pas se mélanger pour devenir un gâteau. La science ne pourrait pas avoir de patterns récurrents servant à tester et à mesurer. Vous et moi ne pourrions pas nous prêter l'un à l'autre en une infinité de variantes afin de nous apporter une aide mutuelle pour la réalisation ou le parachèvement d'un projet rempli de sens.

———— ∽∼ ————

Chaque fois que vous initiez un plan d'action, un plan de création, une inquisition ou une émotion, vous émettez un stimulus dans le monde. Cette émission vibratoire opère à la manière d'une « demande de communication » ou d'une offre d'emploi. Au lieu des journaux ou du courrier, elle utilise la conscience comme véhicule et comme messager. Votre stimulus constitue un appel magnétique qui ondoie à travers l'énergie du monde, voire celle de l'Univers, et qui scrute en quête d'une résonance et d'alignements sympathiques. Lorsqu'il magnétise une énergie disponible à l'alignement dans une recherche similaire, les gens, les objets, les expériences, les formes-pensées et les sentiments qui incarnent cette énergie seront attirés dans votre champ de perception. Certains stimuli demandent plusieurs années avant de magnétiser l'énergie nécessaire à leur accomplissement ou à leur transformation. D'autres trouvent instantanément leur réalisation.

Votre valeur axiale gouverne vos stimuli, vos réponses, votre cohérence et votre magnétisme. Son amplitude reflète dans quelle mesure vous incluez en votre conscience et intégrez dans votre vie les myriades d'aspects de la Totalité de ce qui est. C'est elle qui détermine l'intensité de votre émission. Votre valeur axiale décide de vos priorités créatrices et du continuum de conscience desquels jaillissent vos idées, vos choix et vos actions.

———— ∽∼ ————

Le MVS rend possible la réception de réponses aux stimuli générés par votre être et par votre intention, ainsi que l'incitation de réponses en vous aux stimuli d'autres entités. C'est là une dynamique de conscience interactive et cocréatrice. Depuis la plupart des perspectives dans l'Univers, il est difficile de savoir si vous êtes le stimulus, la réponse, ou un éditeur collaborant à quelque manifestation du magnétisme. Et depuis la plupart des points de vue dans l'Univers, c'est sans importance.

L'énergie n'est en soi ni bonne ni mauvaise. Pour créer une dépression, une impression ou une expression, vous pouvez attirer ce dont vous avez besoin afin de réaliser votre intention. Ceci s'avère exact, que votre intention soit subconsciente, consciente ou superconsciente. Il est possible de créer la souffrance, la joie, la confusion ou la terreur à partir du même matériel d'origine. Rien ne juge et rien ne détermine ce que vous créez dans le monde. Si votre stimulus appelle une réponse, ou si vous répondez aux stimuli d'un autre, votre intention est en voie de réalisation. Si l'énergie magnétisée en réponse à une intention d'importance *locale* s'avère déficiente, vous vous retrouvez dans la position du pâtissier poussé à reconsidérer ou à transformer son intention. Si l'énergie magnétisée est insuffisante en réponse à une intention d'ordre *universelle*, votre stimulus se diffusera de par le cosmos afin de trouver sa réponse.

❦

Votre condition connaît un changement perpétuel en rapport avec la progression de votre intention, ou avec la maturité que procurent l'âge et l'expérience, jusqu'à l'actualisation de votre potentiel. Votre perception et votre compréhension s'étendent d'une manière telle que certains aspects de la réalité qui leur étaient auparavant inaccessibles deviennent évidents parce que vous les avez magnétisés par votre ouverture à leur inclusion dans votre conscience. L'attribut énergétique qui vous permet d'attirer ce qui est nécessaire au progrès en vue de la réalisation personnelle est, encore une fois, le magnétisme vibratoire sympathique.

Les stimuli locaux et universels transmis à votre conscience couvrent une vaste gamme de fréquences – de l'envergure de la Totalité de ce qui est. Ceux que vous êtes susceptible de reconnaître et/ou à qui vous répondrez occupent une bande étroite du spectre total. En étendant votre capacité de réponse, vous devenez instinctivement, intuitivement et du point de vue cognitif, interactif avec une section élargie des stimuli universels. Ces aspects du spectre total de réalité qui se constellent à chacun des niveaux de réception nouvellement atteints deviennent alors évidents. Des idées et des connaissances existant déjà sont captées et comprises comme si elles étaient immédiates et nouvelles.

Cette capacité de la conscience à magnétiser depuis ce spectre précisément ce qu'exige l'actualisation du potentiel, est profonde. Où finit-elle ? Avec la création d'une réalité personnelle ? Au niveau subatomique ? À la frontière entre l'animé et l'inanimé ? Non. Cette capacité n'est pas finie. Elle imprègne et intègre la Totalité de ce qui est.

On pourrait affirmer qu'un livre qui vous attire juste au bon moment n'a pas de conscience propre par laquelle il collaborerait dans un rapport régi par le MVS.

Le magnétisme vibratoire sympathique n'a pas besoin d'opérer par le biais d'une identité douée d'une conscience de soi. Le spectre de fréquence de toute création est un reflet de son créateur au moment de son articulation. Chaque livre préserve l'état vibratoire de son auteur au moment de sa composition. Chaque musique préserve aussi la vibration de son compositeur, du chanteur, des musiciens et de l'ingénieur du son. D'après ce principe, toutes les productions d'art et toutes les contributions à la réalité sont également capables de transmettre des stimuli à votre conscience ou de fournir des réponses émanant d'elle.

Si vous acceptez un point de vue animiste et accordez vie à tout ce qui existe, alors les arbres, les livres, les émotions, tous participent à votre dialogue avec l'Univers. Un arbre n'est pas qu'un arbre. Pareilles aux lignes téléphoniques, ses branches tendent vers les infinis et connectent les forces vitales sur la planète entière. Un livre sur votre étagère n'est pas qu'un livre. Son auteur habite votre intérieur et contribue, par sa fréquence, à votre environnement.

L'humanité est-elle prête à admettre la signification multidimensionnelle de ce principe organisateur et unifiant inhérent à la nature ? Vous vous approchez de ce moment avec un dynamisme accru.

Chaque individu qui accepte la présente réalité procure un stimulus à ceux qui se tiennent à ses côtés. Avec l'émission et la réception de ces stimuli, votre population transformationnelle se prépare à la liaison consciente. Ce lien spirituel intentionnel s'avère indispensable à l'avenir de votre planète. Une fois ceci établi, la science se ralliera rapidement aux idées spirituelles et métaphysiques auparavant reléguées à la philosophie et aux origines mystiques des religions. Les réformes dans les domaines de l'éducation et sur le plan social présentement à l'étude pourront émerger de cet alignement dans les rapports entre la matière et l'esprit. Cette unification prochaine n'est-elle pas en soi une preuve attestant du magnétisme vibratoire sympathique et de la capacité de chaque valeur à manifester son intégrité collective ?

L'humanité est à l'orée d'une *ère de réalisme inspiré* où l'intelligence humaine alliera la science à l'esprit, le créateur à la création. En cette ère, l'humanité évoluera et se rendra compte qu'il n'existe qu'une nature unique. Le fait de n'avoir pas encore établi de passerelles entre les réalités linéaires et non linéaires, ou entre le visible et l'invisible, révèle un savoir non encore revendiqué plutôt qu'une impossibilité.

À mesure que s'épanouit votre compréhension de la nature universelle, il est fort plausible que vous éluciderez les processus objectifs qui correspondent à toutes les occurrences de phénomènes. Curieusement, le seul phénomène qui demeurera impossible à prouver est le premier stimulus, ou la ressource créatrice originelle. Malgré les révélations sur l'exquise conception et sur l'ordre significatif de notre univers, l'expérience directe s'avère peut-être la seule façon pour nous de connaître la réalité de la Source/Dieu et l'envergure de son Amour.

3. Comment avons-nous été choisis pour ce dialogue avec l'humanité ?

*N*ous qui entretenons ce dialogue avec vous n'avons pas été choisis par un comité exécutif, ni par une commission, ni par une assemblée de supérieurs. Nous avons des mentors et des maîtres, mais nous n'avons pas de supérieurs. Chacun de nous est sous sa propre gouverne. Tout comme ceux d'entre vous à qui il paraît évident qu'ils n'ont pas besoin d'une échelle pour atteindre les étagères supérieures d'un placard, de la même façon, nos domaines de maîtrise sont si apparents que notre justesse pour toute forme de service paraît claire à tous.

Les êtres universels qui incarnent le mieux les fréquences/valeurs qu'on explore et qu'on élabore sur votre merveilleuse planète sont ceux qui viennent à la Terre pour vous aider à mener ces potentialités à leur réalisation. Aucune action de la part de ces entités n'est nécessaire à l'accomplissement de cette œuvre. Puisqu'elles *sont* la réalisation recherchée, elles n'ont qu'à *être*. Elles incarnent la réponse et la manifestent, sans nul besoin d'un dispositif. À l'instar du diapason qui vous donne la note par sa simple vibration, l'être universel émet sa vibration illuminée de sorte que vous ferez coïncider sa valeur en vous-même. Sa simple présence dans votre système de réalité suffit à accorder votre conscience à la valeur qu'il incarne. Par son intégration à la vie terrestre, la valeur axiale qu'il incarne s'assimile à la conscience humaine.

Ce que vous intégrez en votre conscience intègre réciproquement votre conscience en lui/elle. Ainsi, chaque mesure de l'illumination de chaque être incite l'ensemble de l'Univers à l'unification.

L'intégralisme consiste en cette compréhension que, à l'intérieur d'un contexte multidimensionnel, chaque aspect d'un tout contient le tout et simultanément le crée, par les stimuli et les réponses qu'il incarne.

Il illustre bien ce qu'est une fréquence/valeur universelle. Lorsque l'humanité se met à explorer activement la valeur de l'intégralisme – ainsi qu'elle le fait à l'heure actuelle –, un stimulus collectif est émis dans le cosmos. L'entité universelle qui incarne la valeur axiale d'*intégralisme* a la possibilité de répondre à votre stimulus par sa venue sur terre. Cela peut signifier de prendre naissance comme être humain. Cela peut aussi vouloir dire de s'immiscer et de participer à travers un véhicule plus éphémère que la vie humaine – la flore, la faune, ou une condition élémentaire comme le tonnerre, le vent, la pluie.

D'autres qui incarnent les valeurs appuyant la réalisation de l'intégralisme sont également susceptibles de répondre à votre stimulus. Dans sa quête de la connaissance de soi, l'humanité se concentre souvent sur l'exploration d'un idée charnière qui, sans représenter une valeur universelle, en découle. L'*interdépendance* est l'une des conceptions humaines issues d'une perception mécanique de la réalité selon laquelle tout est partie intégrante d'un ensemble plus vaste. Cette idée provient de cette même valeur. En venant sur terre en réponse au stimulus dérivatif que transmet l'humanité au fil de son investigation de l'interdépendance, l'être universel qui incarne cette valeur axiale peut ensemencer cette exploration de la conscience de l'intégralisme. Tout l'Univers est relié par un même fil vital. La découverte de l'intégralisme vous est accessible éternellement par le biais de la méditation, de la contemplation et de la révélation. Vous n'avez nul besoin d'un être universel pour le réaliser. Chaque personne dont la vie manifeste la valeur qu'elle incarne apporte une contribution égale au monde. Voilà ce qu'est l'accomplissement de soi. Une fois que la réalisation d'une valeur s'est incarnée sur terre, ce qui vous était auparavant accessible seulement intérieurement ou sur le plan énergétique devient désormais un stimulus immédiat, tangible, ancré et apte à éveiller la conscience humaine à cette valeur. Un être incarnant la réalisation de sa fréquence/valeur agit comme un générateur solaire pour celle-ci. Le soleil existe déjà, mais le générateur solaire concentre et intensifie sa puissance aux fins d'applications pratiques.

Chacun d'entre nous possède la capacité de refléter une valeur unique appartenant à la Totalité de ce qui est. L'illumination se produit lorsque votre vie en vient à exprimer la réalisation de votre valeur. Ceci a un impact omniprésent. La conscience non obstruée que vous incarnez irradie sa clarté de par l'Univers. Ce qui aura été votre lumière et vous aura renforcé tout au long de votre évolution devient un rayon laser capable d'imprégner, d'informer et d'illuminer tous les êtres ouverts à ce don. Voilà comment se produisent les ères et les époques de valeur, de compréhension et de perception sur terre.

4. Nous qui venons de par-delà la Terre,

vivons-nous quelque part ?

*M*a description de la résidence cosmique qui fait partie de mon expérience vous ferait certainement apprécier la douceur de votre foyer. Cette résidence dans le cosmos n'est pas une planète. C'est, en vérité, une étoile de votre galaxie encore invisible pour vous.

Tout dans l'Univers possède une forme dans une dimension donnée, même si celle-ci ne rencontre pas vos critères la définissant. Formes-pensées, corps lumineux et patterns d'énergie vibratoire sont autant de formes aussi tangibles que vos corps physiques. Elles se définissent par le système de réalité dans lequel un être choisit de se manifester.

S'il souhaite pénétrer quelque système de réalité que ce soit, un être doit se conformer aux coordonnées dimensionnelles propres à ce système. En haute mer, loin de toute rive, la détermination de la latitude et de la longitude permet de se situer par rapport à la masse de terre invisible, sur un océan apparemment sans fin. Il en va de même lorsque vous naviguez dans l'Univers multidimensionnel. Les coordonnées dimensionnelles, magnétiques et fréquentielles vous permettent de vous situer par rapport aux systèmes de réalité invisibles et au cœur d'une conscience semblant illimitée. En l'absence de ces coordonnées, nous nous heurterions à nous-mêmes, les uns aux autres, et à d'autres systèmes de réalité encore plus souvent qu'à l'heure actuelle.

Ceux d'entre nous qui avons pris naissance sur terre afin de servir de messagers ou de communicateurs interdimensionnels, appelons « chez nous » plusieurs endroits dans le cosmos. J'ai pris naissance sur terre sous forme humaine dans les années quarante. En tant qu'être universel, je participe cependant à un système de réalité qui se manifeste à la fois comme une étoile dans votre galaxie et dans des dimensions qui ne sont pas généralement admises chez vous. Les astronomes de la Terre ne connaissent pas cette étoile parce qu'elle n'est pas visible présentement. Elle se situe dans l'espace, là où vous croyez que rien n'existe – dans ce qui vous apparaît comme un vide parmi les étoiles visibles. Vos scientifiques tentent de comprendre ce phénomène. Ils ne peuvent expliquer la perte de masse à certains endroits dans l'Univers. Ils affirment que ce sont là des trous noirs dans l'espace. Les scientifiques conçoivent, avec justesse, qu'un trou noir dans l'espace aurait été un « endroit » où, jadis, existait une étoile. Certains croient toutefois que celle-ci s'est éteinte, laissant derrière elle un champ semblable à un vide.

─∽◠─

Un trou noir dans votre espace dimensionnel est un système de réalité autre dont les coordonnées servent d'interfaces avec celles de la Terre. C'est un point d'existence servant à une identité collective, comme la Terre est un point d'existence servant l'identité collective humaine. Le collectif, ou étoile, auquel on réfère par l'expression « trou noir » n'est ni éteint ni disparu. Le point focal de sa conscience est simplement temporairement réorienté en d'autres coordonnées dimensionnelles qui excluent son apparition dans votre continuum spatio-temporel. Le champ

que vos scientifiques jugent « inoccupable » et inéluctable,
réserve en réalité la place de l'étoile dans l'espace, de la même
manière qu'une carte indiquant un siège réservé vous assurerait
de conserver votre place en votre absence. L'identité collective
de l'étoile a temporairement quitté sa place pour un lieu que
votre conscience ne peut atteindre actuellement. Par conséquent,
vous percevez un vide dans votre continuum espace/temps,
plutôt que sa manifestation, et vos scientifiques le considèrent
scellé derrière son propre horizon d'événements. En réalité,
votre perception humaine est fermée derrière votre horizon de
conscience actuel.

Représentez-vous une photo de famille réunissant tous les membres devant la maison, le chien au centre. Puis, imaginez que l'image du chien ait été soigneusement découpée. En regardant la photo, dans un certain sens, l'image du chien paraît encore parce que, bien que sa forme soit disparue, le contour précis de son image demeure. Il en va de même de l'identité qui occupe un trou, noir ou blanc, dans l'espace. Sa forme est temporairement relocalisée ailleurs, mais rien ne peut occuper cet espace à moins que ses coordonnées, sa fonction et ses amplitudes fréquentielles ne soient en exacte correspondance, qu'il y ait intégrité absolue avec la forme établie.

Les êtres universels qui peuplent l'étoile à laquelle je participe en tant qu'un des leurs sont entièrement voués au soutien de l'évolution de la Terre. Les coordonnées de notre étoile dans l'Univers permettent à chacun de nous de se manifester dans l'un ou l'autre d'un grand nombre de systèmes de réalité, selon le besoin. Nous sommes libres de nous déplacer n'importe où dans l'Univers sous une conscience dépourvue de forme substantielle. Cependant, notre aptitude à manifester une telle forme se limite à ces systèmes où chacun de nous a déjà pris naissance et vécu une vie. Chaque expérience de vie nous encode avec les amplitudes de conscience et les coordonnées de manifestation indispensables à des incarnations particulièrement significatives dans ce système.

Une telle idée vous semble peut-être relever de la science-fiction, mais elle peut aussi décrire les possibilités et les contraintes du monde de vos rêves. Vous possédez aussi cette faculté de voyager partout dans l'Univers comme conscience libre de toute forme substantielle. Durant le sommeil et d'autres états de conscience altérée, il est possible de vous éveiller à d'autres dimensions où vous avez vécu. Vous semblez les atteindre sans le moindre effort. En vérité, il est impossible d'y arriver sans le mot de passe. L'accès en paraît facile parce que ces coordonnées d'entrée sont déjà encodées en vous.

Jusqu'à récemment, l'étoile où j'offre ma participation en tant qu'être universel constituait une source de lumière visible dans votre galaxie. Depuis quelques années toutefois, notre étoile s'est éclipsée de votre champ de vision, car notre population subit un entraînement et se prépare à vous seconder dans la transmutation collective de la conscience humaine. Cette transmutation enregistrera une augmentation des amplitudes magnétiques et de la fréquence de la Terre, et de toute la vie qu'elle porte.

Afin de nous préparer à ce privilège de vous seconder dans le processus, il a fallu nous concentrer sur l'expansion, individuelle et collective, de notre conscience. En vue d'exercer et d'étudier notre propre transmutabilité, nous avons hâté notre croissance vers des dimensions supérieures de réalité. Afin de permettre cette expansion et cette transmutation, notre collectif entier dut changer simultanément de dimension, en abdiquant la conscience individuelle et en fusionnant dans l'unicité. Au cours

de ce processus, les coordonnées de fréquence et de magnétisme requises afin de maintenir notre manifestation en tant
qu'étoile dans votre galaxie furent abandonnées. Notre focus se
tourna vers des aspects de la multidimensionnalité qui ne sont
pas encore présents au sein de la perception humaine. Voilà la
raison de la disparition momentanée de notre étoile de votre
galaxie, laissant derrière elle une place réservée – un trou noir.
Nous pourrions dire ici que nous jetons notre lumière sur une
autre affaire pour l'instant.

Notez que notre étoile apparaîtra comme un trou noir ou un
trou blanc dans l'espace, selon la dimension d'où vous l'ob-
servez. Depuis la position de la Terre, les astronomes perce-
vraient notre étoile comme un trou noir – un lieu où l'énergie a
atteint une union et s'est effondrée sur elle-même. Si toutefois
vous observiez le cosmos depuis la dimension où nous avons
récemment pris naissance à la suite de notre transmutation collective, notre étoile vous apparaîtrait comme un trou blanc dans
l'espace – un lieu où l'énergie a atteint l'unicité et s'exprime
vers l'extérieur.

Bien que notre concentration atteigne des sphères hors de votre
spectre conceptuel et qu'elle vous soit ainsi invisible, nous
sommes davantage en contact avec vos dimensions intrapsy-
chiques, plus encore que lorsque nous étions impliqués dans les
aspects matériels de votre vie.

Notre présence dans votre espace galactique ainsi que notre
départ temporaire vous concernent tout à fait. Nous sommes
des agents facilitateurs de l'épanouissement de l'humanité en
une perception multidimensionnelle et en une conscience universelle. Jusqu'à votre entrée dans la phase transitoire actuelle,
nous vous avons servis là où vous vous trouviez, en appuyant
vos efforts pour atteindre l'illumination et en vous procurant

une impulsion de croissance supplémentaire. Lorsque votre population en éveil étendit son expérience de la réalité aux dimensions énergétiques de la conscience, de l'intention, de l'unification et de l'amour, des fréquences plus élevées s'instaurèrent en votre conscience collective. Cette accélération de votre population en éveil vers l'unification de l'âme dans toute sa splendeur nous a incités à nous retirer et à développer des aptitudes pour vous seconder dans le processus de transmutation à venir.

L'humanité reçoit déjà des stimuli universels dont l'importance régénéreront la physiologie individuelle de façon que chacun de vous soit apte à faire plus expressément l'expérience de dimensions supérieures. Votre conscience s'éveille au domaine des yogis et des maîtres, et s'intégrera à votre code génétique.

Inclinez-vous avec reconnaissance devant vous-même et devant tous ceux qui méditent, qui psalmodient, qui prient, qui cultivent des aliments biologiques, qui font usage des ressources planétaires avec respect et qui communient avec la nature. Célébrez votre affinité avec tous ceux qui prennent la défense des arbres, de l'eau et de l'air, qui pratiquent le yoga et les arts de la guérison, ceux qui, à travers les arts et l'art d'être, esquissent une inspiration sublimée et cherchent à incarner l'amour par-dessus tout. Par votre quête et vos découvertes, vous transformez le monde.

Si les conditions planétaires devaient l'exiger, votre processus de transmutation pourrait vous réorienter en des dimensions supérieures sans discontinuité ou presque. Il est possible de relocaliser votre processus, mais impossible de le stopper. Le dynamisme universel lui est sous-jacent. Les liens de ses émissaires sont ceux de l'âme – spirituels et infinis.

Ce qui vous attend est analogue à l'expansion collective que nous avons subie récemment. Nous sommes prêts à faciliter les uniformisations internes et les changements sociaux qui découleront de votre expansion dimensionnelle. Dans l'instant qui suit ou au cours des soixante années à venir, votre psyché individuelle et sociale sera affranchie des archétypes limitatifs de la dualité sur lesquels se fonde présentement votre civilisation.

Nous ignorons quelle teneur prendront vos processus planétaires. Nous savons toutefois que toutes les manifestations de valeurs universelles, hormis celles qui sont inverties (« néfastes ») ou sérieusement désalignées (conceptions destructives), possèdent la capacité de transmutation. Pour illustrer cela, il est garanti que les graines de souches pures pourront se transmuer, alors que les semences hybrides ou artificielles ne le pourront pas. Nous savons également que le dualisme s'éteindra. À l'heure actuelle, une discontinuité radicale sépare votre dimension intérieure essentielle et votre dimension extérieure matérielle. Vos progrès dans le domaine de l'un n'impliquent pas nécessairement des progrès dans l'autre, ce qui rend plusieurs d'entre vous matériellement riches mais pauvres en amour, ou riches d'amour mais matériellement pauvres. Ce schisme dans l'intégrité devrait se refermer au cours de votre expansion prochaine. Une fois celui-ci refermé, vous serez capables de travailler à produire une croissance globale de l'intérieur vers l'extérieur, ou de l'extérieur vers l'intérieur. À la séparation se substituera l'intégralisme. De plus en plus de manifestations bien organisées auront un impact important, et il est improbable que vous maintiendrez la priorité que vous accordez à l'aspect matériel de vos vies. Voilà seulement quelques-unes des possibilités que vous réserve l'avenir.

Le magnétisme et la fréquence de votre planète subissent actuellement un changement. Toutes les formes organiques réagissent aux stimuli d'amplitudes fréquentielles supérieures. L'humanité se lance dans l'exploration de son intégrité universelle. Nous ressentons un grand enthousiasme, et notre focalisation se porte sur l'union physique avec vous. Nous avons déjà commencé à occuper de nouveau le trou noir dans votre continuum espace/temps, réorientant notre point focal en vue de redevenir visibles dans votre ciel.

5. *Nous qui provenons d'au-delà de la Terre,*

sommes-nous doués de superfacultés

comme Obiwan Kenobi,

Superman ou Merlin ?

ertaines personnes sur terre sont maintenant capables de formes d'autoexpression qui semblent extraordinaires par rapport à l'état actuel de l'évolution humaine. Certaines d'entre elles sont des Êtres cosmiques qui vivent parmi vous afin de vous informer de l'universalité et de s'informer eux-mêmes de l'humanité. La plupart sont des humains qui se sont unifiés à leur âme et à ses ressources. Leurs vies attestent de dimensions dépassant le sens qu'on attribue normalement au fait d'être une personne.

Votre âme est la manifestation de votre fréquence/valeur responsable des prises de personnalités et de formes temporaires. Elle sert d'interface et intègre l'état séminal de votre être aux manifestations individuées temporaires – de ce fait vous êtes un. Votre âme est la source qui génère votre identité terrestre. Elle exprime une nature universelle et est nantie d'un savoir tout aussi universel. Toute la sagesse qui la contient vous est accessible par votre alignement sur elle et votre fusion avec elle. Cette réunification permet l'intégration de facultés extraordinaires dans votre vie quotidienne sur terre.

En ne considérant que le plan physique, j'ai vu des êtres humains traverser des murs, faire apparaître de la nourriture, changer de forme, se déplacer sur de vastes distances en un instant, retourner dans des siècles révolus et accomplir de profondes guérisons. Par ailleurs, nombre de personnes sur terre ne sont pas complètement alignées sur leur âme, mais entretiennent des voies de communication inusitées avec des dimensions de réalité particulières, ce qui leur permet de manifester certaines facultés psychiques.

Il est important de ne pas confondre celui qui possède une voie de communication ouverte, et l'être aligné sur l'âme qui est une voie de communication ouverte. Le message d'un médium n'a d'autre clarté que celle de son médium.

La dissociation des réalités pratiques et émotionnelles de la vie quotidienne peut être une faiblesse de certaines guidances reçues par *channeling*. Cependant, lorsqu'une guidance vous parvient sous la forme de valeurs universelles – confiance, courage, compassion, estime de soi, etc. –, la vérité et la pertinence de celles-ci vous apparaîtront au moment de leur transmission. Les valeurs et leurs stimuli sont le langage de l'âme. Il est naturel de ressentir une résonance spirituelle et de la gratitude pour le message transmis qui recourt à ce langage.

Si quelques heures ou quelques jours plus tard, vous n'êtes plus en résonance avec l'octave universel de ces valeurs, le message, ou la révélation, que vous avez reçu peut alors vous sembler n'avoir aucune base solide ni aucune possibilité d'être ancré dans la réalité de tous les jours. Peut-être sentirez-vous qu'on n'a pas tenu compte de vos « circonstances atténuantes » au moment de la transmission du message. La conscience qui n'est pas identifiée à la réalité terrestre ne percevra pas forcément l'importance des significations et des expériences subjectives du monde.

De par mon expérience en tant qu'être jouissant d'une vie à la fois sur terre et au-delà, je sais que ceux qui ne sont pas d'ici ne comprennent pas toujours les influences psychologiques et émotionnelles issues de la variabilité et de la dualité du monde. Cette vie sur terre m'a permis d'apprécier plus justement la ténacité des illusions, des patterns et des émotions du monde que lorsque je vous portais secours depuis le cosmos.

Toutes les conditions de l'Être sont égales par rapport à leurs buts. Ceux d'entre nous qui sont des facilitateurs de communication interdimensionnelle manifestent l'extraordinaire à divers degrés, selon leurs buts et leur identité individuelle.

Je suis venue à la Terre afin d'ériger des passerelles de compréhension entre les multiples dimensions du Soi et de l'Univers. J'ai voulu vérifier si un alignement et un savoir universels étaient encore possibles depuis la conscience actuelle de la Terre. Tant de gens cherchent l'amour et le savoir universels sans les trouver. J'ai voulu en comprendre la raison. Voilà pourquoi je n'emploie que les capacités et les aptitudes que vous incarnez. J'ai progressé jusqu'à l'unification de mon âme en cette vie, tout comme vous le feriez.

Le fait d'être unifiée aux ressources de mon âme me donne ce qu'on pourrait appeler des « pouvoirs ». En réalité, il ne s'agit que des extensions des ressources que vous employez chaque jour. Je vois exactement ce que vous voyez, mais je vois également le cœur du sujet. J'entends exactement ce que vous entendez, mais j'entends également tous les non-dits. Je fais l'expérience, à travers mon corps, de moi-même et du monde des formes, mais je suis également informée des constantes fluctuations de la Totalité de ce qui est. J'ai ces pouvoirs, mais ils ne sont que la maturation des facultés sensorielles ordinaires. Ces pouvoirs ne me mettent pas à l'abri des épreuves et des conflits du monde, non plus qu'ils ne m'assurent le succès. Même en l'absence de toute sorcellerie, cette pleine réalisation des facultés sensorielles est une source de puissance telle qu'elle peut éveiller des sentiments d'alchimie ou de pouvoir chez ceux qui en font l'expérience.

Au cours des années de jeunesse de ma vie sur terre, je n'employais pas ces pouvoirs naturels, car j'ignorais leur existence – tout comme vous ignorez peut-être les vôtres. La plupart d'entre vous ont à découvrir leur nature multidimensionnelle. Vous discernez peu à peu votre voix intérieure et apprenez à vous fier à votre guidance intérieure. Le fait de récupérer ces ressources vous donnera le courage de l'action. Vous serez alors apte à connaître votre multidimensionnalité et d'en faire l'expérience.

La clef de cette découverte est l'amour de soi libre de jugement. La plupart des gens croient qu'ils doivent être plus que ce qu'ils sont. Puisqu'ils imaginent un être meilleur, ils se considèrent du coup comme inférieurs. Si vous pouviez atteindre l'être meilleur que vous envisagez, alors vous le feriez. Le fait d'accorder une valeur à une identité qui reste à venir dévalorise ce que vous êtes maintenant. Celui que vous êtes aujourd'hui sera insuffisant demain, mais c'est ce que vous pouvez être de mieux aujourd'hui et c'est en outre ce que l'époque impose. Le fait de vous percevoir à des kilomètres de ce que vous voudriez être vous empêche peut-être de traverser le centimètre qui s'offre à vous pour le moment.

Aucun exercice n'est exigé. Aucune technique n'est requise. Pas de procédure extérieure à appliquer pour pouvoir évoluer vers l'alignement de votre âme. Vous pouvez apprendre énormément des découvertes et des enseignements des autres, mais malgré tout, la nature de l'Univers vit en vous. À vivre pleinement l'instant présent, sans rien exclure de votre amour, tout naturellement vous vous épanouirez. Il faut seulement pratiquer l'amour, l'intégrité, l'honnêteté et la direction intérieure. Si le développement de vos facultés supérieures dépendait de cours, de programmes ou d'études, l'Univers serait élitiste, et seuls ceux qui en auraient le loisir, dont les riches, et ceux qui seraient particulièrement intelligents pourraient découvrir leur potentiel. Votre vie contient vos stimuli et vos opportunités – si vous y accordez foi et la vivez pleinement.

Si vous croyez que d'autres détiennent des secrets que vous ne possédez pas, alors vous les chercherez et les trouverez là. Lorsque vous abordez une question à laquelle personne ne peut répondre à votre place, il vous faut récupérer votre autorité et devenir votre propre ressource. Il est peu probable que vous énonciez une telle question, à moins d'être prêt à vous faire suffisamment confiance pour renoncer à l'autorité extérieure. Votre identité n'est jamais subjuguée. Même lorsque vous employez les voies des autres, le choix est vôtre. Il est impossible d'agir sans que transparaisse votre nature essentielle.

Jusqu'à ce que vous soyez libre de suivre votre direction intérieure, vos convictions limiteront votre expérience. Une fois libre de suivre votre direction intérieure, vous modèlerez vos convictions à partir de votre expérience.

Pour découvrir et réaliser vos pouvoirs et votre nature d'Être universel, relevez honnêtement les défis du moment par des choix qui reflètent les valeurs et l'entendement que vous ressentez vraiment. Cette action vous poussera vers l'illumination. Peu importe que la valeur que vous considérez comme la plus élevée soit une idée socialement programmée ou une notion fondée sur l'amour-propre ou la satisfaction de soi. L'essentiel, c'est que vous acceptiez de vivre cette valeur, de vous investir en elle et de découvrir ce qu'elle révèle à votre sujet et sur la nature de la Totalité de l'existence.

6. Comment les choses viennent-elles à l'existence ?

*T*out ce qui existe dans le monde et dans l'Univers est fondamentalement constitué d'une même substance – l'*énergie*. Celle-ci est douée de conscience, sans toute fois l'exprimer de la même manière. La conscience humaine se manifeste par les significations et les associations. Une rose possède également une conscience. Elle incarne une fréquence/valeur et reçoit et émet des stimuli vibratoires, à l'instar des gens, mais elle ne les examine pas ni n'attribue de sens au processus.

Toute énergie possède la capacité inhérente de créer une forme substantielle – corps, étoiles, écosystèmes. Elle possède également la capacité naturelle de révéler des formes subtiles – sentiments, pensées, influences planétaires. La manifestation et la réalité ne dépendent pas de formes substantielles, mais bien plutôt de fréquences, de valeurs et de la conscience.

Peu importe sa condition d'existence, l'énergie se constelle en réaction aux stimuli des valeurs universelles que sont l'amour, le courage, la compassion, la confiance, l'intégralisme – qui restent sous-jacentes à la diversité et la transcendent. Il n'existe rien de plus fondamental à l'existence.

Chaque fréquence/valeur universelle contient le tout et est contenue dans le tout, selon le point de vue multidimensionnel. Au fil des pages, souvenez-vous que *vous* êtes une fréquence/valeur universelle et que la nature de ces processus fondamentaux s'applique à vous et à votre expérience de vie.

Toutes les valeurs universelles incarnées par vous, par moi, par les arbres, par les minéraux et par tout ce qui compose la nature représentent des aspects de leur source manifestés en tant qu'identités autonomes. Lorsqu'une valeur trouve sa première expression dans l'Univers en tant qu'identité individuée, elle démontre une fréquence. Sa « naissance » émet un stimulus dans le cosmos. Toutes les fréquences existantes résonnent avec ce stimulus, car la fréquence naissante vit déjà en elles, comme un potentiel indiscernable.

Puisque chaque valeur est un reflet du créateur au moment de sa création, ce qui n'est pas encore discerné au sein du créateur demeure indiscernable au sein de la création. Elle est présente et essentielle au tout, mais demeure indifférenciable, pareille à une note au cœur d'un mouvement symphonique. Au moment où une valeur devient discernée et individuée au sein de la Source/la Totalité de ce qui est, elle devient par le fait même identifiable parmi toutes les autres valeurs manifestées. Chaque valeur universelle possède l'attribut inhérent d'autoexpansion et de tout englober. C'est là une énergie en mouvement perpétuel.

En termes humains, le principe pourrait s'illustrer comme suit : jusqu'à ce que ma valeur soit discernée au sein de la Source/la Totalité de ce qui est, la fréquence/valeur que j'incarne vit en vous mais demeure voilée – assimilée à votre potentiel abstrait. Lorsque ma valeur devient discernée au cœur de la Totalité de ce qui est et qu'elle acquiert l'autoexpression (sous forme de mon âme), elle peut alors être reconnue par vous comme partie de vous-même, et vous pouvez alors en faire l'expérience. En acceptant le moi-en-vous, vous atteignez une réalisation de soi supérieure et êtes plus près de vous savoir un avec la Totalité de ce qui est.

Chaque fréquence/valeur est magnétique et douée d'une capacité innée d'alignement sur toutes les autres (le magnétisme vibratoire sympathique). Une fréquence peut attirer à elle de l'énergie pour l'alignement (le stimulus dynamique) ou être attirée par le stimulus émis par une autre fréquence (la réponse respective). Chaque fois que naît une fréquence et qu'elle émet son stimulus, le magnétisme de l'Univers est activé. Le cosmos tourbillonne alors en un ballet d'énergie dynamique et réceptive, cependant que tout ce qui est manifeste subit une réorganisation et un réalignement afin d'inclure la valeur naissante. Mue par une aspiration innée à la réalisation de soi, chaque valeur naissante est attirée par ses prédécesseurs ; elle les encercle, les incite, en quête de pénétration et d'union, déterminée à s'éveiller en leur sein. Chaque prédécesseur, pareillement motivé à atteindre la réalisation, répond au stimulus de la fréquence nouvelle et entre ainsi dans la danse d'encerclement et d'incitation. Suivant le pattern orbital qui lui est propre, chaque fréquence traverse l'orbite des autres. La nature de chaque valeur est intègre, égale vis-à-vis des autres au point que le stimulus et la réponse s'entremêlent sans distinction dans la mutualité de leur désir de s'aligner.

Lorsqu'une fréquence nouvelle et ses prédécesseurs tournent autour l'un de l'autre, il existe au sein de chaque couple un point unique où chacun est sympathique du point de vue vibratoire, ou synchronique, avec l'autre. La pénétration est possible en ces points où chaque fréquence est alignée sur sa propre *valeur en l'autre du point de vue sympathique. Lorsque s'accomplit la pénétration, une fusion se produit par laquelle chaque valeur se réalise en l'autre et éveille l'autre à une réalisation de soi plus vaste. Après la fusion, leurs orbites respectifs se perpétuent chacun indépendamment et cependant profondément informés par l'autre.*

＞◦＜

Au cours de cet amalgame, chaque fréquence acquiert des attributs de manifestation et des aspects de conscience. Ainsi, au fur et à mesure qu'une fréquence s'aligne sur toutes les autres, sa création peut alors s'exprimer sous diverses formes de lumière, de couleur, de son, de mouvement, de sensation ou de conscience. Ainsi, l'Univers est en expansion perpétuelle, variable à l'infini et continuellement intégral.

Qu'elles soient naissantes ou déjà établies, lorsqu'elles s'unissent temporairement les unes aux autres, les valeurs engendrent un phénomène similaire à la fusion nucléaire, diffusant une énergie libre dans le cosmos. Un superbe éclat d'illumination se produit pour chaque valeur qui fusionne. La luminosité d'une valeur s'accroît à mesure que cette valeur fusionne avec plus d'aspects de son potentiel. Un tel événement aurait un effet exquis, même si une seule valeur exécutait son ballet au travers de la Création. Mais plusieurs valeurs naissent successivement, tel un courant dans les continuums de conscience. À l'avènement d'un continuum de fréquences nouvelles, le cosmos résonne de stimuli vibratoires. C'est là l'Om universel. Au son de cette musique, toutes les valeurs manifestes exécutent leur chorégraphie, tournoient, sont mutuellement incitées et amenées à l'illumination. Les vibrations de leur force mouvante retentissent en une révélation d'harmoniques. Les luminosités traversent le cosmos afin de s'aligner et de s'entremêler, et leurs traînées de lumière tracent de scintillants sentiers dans les cieux. La lumière danse et tourbillonne en des tracés complexes où les nuances et les ombres émergent des mouvements esquissés. Les luminosités se constellent en quête d'alignement et leurs resplendissantes explosions d'énergie annoncent leur union, provoquant des horizons de motifs qui à jamais se forment et se déforment. Lorsqu'enfin chaque aspect de la création aura exécuté son ballet et qu'il se sera illuminé en tout, une quiétude paisible se répandra de par le cosmos... jusqu'à ce que l'Univers soit incité à la prochaine tarentelle d'intégralisme.

Dans le cosmos, une danse se produit chaque fois qu'une valeur se discerne au sein de la Totalité de ce qui est et déploie son expression dans l'Univers en une identité autonome – un être. Cette chorégraphie se produit également en vous chaque fois que vous discernez une valeur en vous et lui donnez une expression dans le monde. Elle ne se limite pas à la première fois qu'une valeur devient manifeste. Chaque fois que vous reformulez cette valeur et étendez son expression, une constellation nouvelle de votre énergie est enclenchée. Toute nouvelle constellation est une illumination entraînant une réalisation de soi plus vaste encore.

En fusionnant votre conscience à votre action et en accordant une expression à toute valeur, vous vous chargez magnétiquement avec la fréquence de cette valeur. Cette union diffuse un éclat de luminosité qui en accentue l'amplitude et émet un stimulus. L'énergie du monde et de l'Univers répond au stimulus en procurant des expériences qui reflètent, démontrent et édifient votre réalisation de soi. Voilà le magnétisme vibratoire sympathique à l'œuvre.

Si vous n'avez aucune affinité avec le domaine technique, ne vous inquiétez pas. Les idées exposées ci-après seront illustrées par une métaphore.

> *Toutes les créations débutent par un stimulus et se perpétuent à travers des procédures de réponse, d'alignement et de fusion avant de devenir manifestes. Pour la création de toute chose, les stimuli émis par les fréquences et valeurs inhérentes à votre intention doivent trouver l'énergie disponible et la magnétiser. Il est possible que seule une portion de l'énergie qui répond s'aligne avec compatibilité. Dans ses tentatives de s'aligner, elle s'autosélectionnera selon sa capacité d'exprimer les valeurs et les amplitudes discrètes que constitue votre intention. L'énergie qui répond continuera à se préciser jusqu'à ce que les unions requises se produisent et qu'une constellation énergétique stable et apte à se perpétuer soit atteinte. Sous l'effet de vos stimuli créateurs, une naissance s'est accomplie.*

Pour illustrer le processus de formation, on peut employer comme métaphore celle d'un chorégraphe rassemblant une troupe en vue d'une production théâtrale. Dans ce contexte, il existe des milliers de danseurs déjà formés (*l'énergie disponible*). Afin de réaliser leur potentiel en tant que danseurs, ils doivent se joindre à une constellation d'artistes (*la création formulée*). Les danseurs disponibles attendent des nouvelles d'une production (*le stimulus organisateur*) afin de passer l'épreuve (*répondre*). Plusieurs d'entre eux entendront parler (*être magnétisé*) de la production du chorégraphe. Ils passeront l'audition (*tenter de s'aligner*) pour les différents rôles. Dans le cas présent, seuls les danseurs de jazz et acrobatiques (*valeurs discrètes*) sont recherchés pour la chorégraphie envisagée. La majorité des danseurs de ballet ne se présentera donc pas (*magnétisme insuffisant*).

Ceux faisant partie de la dernière catégorie ayant une expérience du jazz pourront tenter le coup (*magnétisme suffisant pour une réponse*). Ils ne se verront pas nécessairement éliminés avant l'audition simplement du fait d'être des danseurs de ballet. L'un d'entre eux pourra apporter juste ce qu'il faut (*la valeur et/ou l'amplitude justes*) pour donner une expression (*manifestation*) à une certaine qualité subtile de la chorégraphie envisagée. Parmi ceux qui se qualifient, certains pourront ne pas vouloir se joindre à la troupe faute de s'y sentir à l'aise (*alignement judicieux*). Peut-être préféreront-ils un style de travail différent, une qualité de production ou un contenu chorégraphique autres (*création alignée de façon plus compatible avec leur fréquence et/ou amplitude*).

Le chorégraphe embauchera (*constellera autour de la valeur axiale de sa production*) seulement les danseurs qui, exprimant leurs capacités (*valeurs et amplitudes discrètes*), réussiront à réaliser le concept qu'il envisage (*son médium pour la réalisation de soi*). Il pourra continuer à les recruter et à les licencier jusqu'à la présentation du spectacle, en quête du juste mariage de danseurs qui travailleront bien ensemble (*une constellation d'énergie stable et apte à se perpétuer*). Une fois rassemblé ce collectif de talents qui fourniront ensemble un travail d'équipe (*des valeurs discrètes alignées avec succès*), sa production aura pris vie (*se sera formée afin de manifester une réalité*). Une chose unique est venue à l'existence.

Si les artistes dépassent le simple *alignement* et réussissent à fusionner les uns avec les autres, réalisant leur intention commune, ils transcenderont leur véhicule et s'inciteront, eux et leur public, à la fréquence même de la création. Ces représentations s'avèrent toujours transcendantes et profondes. Elles guérissent directement tous ceux qui en font l'expérience.

La meilleure troupe sera celle où les danseurs satisferont leurs valeurs individuelles au sein de l'identité collective du groupe. Le danseur qui ne respecte pas sa valeur afin de s'intégrer au groupe éprouvera des difficultés lorsqu'une adaptation spontanée s'avérera nécessaire. Éventuellement, il cessera de se conformer et catalysera un changement qui affectera la stabilité du groupe. Il n'est pas rare qu'une constellation d'énergie inclue un membre instable afin d'assurer le changement ou la temporalité de la constellation. Ce type de constellation s'avère très propice à l'expérimentation et à la réalisation de soi ; il en est souvent le préalable. Les constellations pourront également sélectionner des membres instables, reflétant ainsi un désalignement dans le concept créateur, ou chez le créateur du concept.

―◦◦―

Bien que vos créations aient leurs propres formes et apparaissent dans le monde comme distinctes de vous, elles sont toujours vous en réalité, mais sous d'autres conditions d'existence. Vos créations ajoutent à votre identité en permettant à des expressions de l'identité de votre âme autres que celles qui vous ont initialement donné forme d'être présentes en vous (l'identité de votre âme étant une autre expression de la Source). Ce que vous créez incarnera et exprimera votre signature essentielle et mesurable – votre fréquence/valeur –, mais cette création la diffusera dans le monde à travers des attributs de son propre état manifesté, plutôt que le vôtre.

―◦◦―

Comme expressions de votre fréquence et de votre valeur, vos créations varieront en amplitude, selon votre état au moment de leur création. Qu'il s'agisse d'un pont, d'un opéra ou d'une fleur, chaque création manifestera son pattern d'énergie en apparence constant, sa forme propre, incarnant votre fréquence/valeur. Chacune élaborera également sa propre variabilité d'amplitude. L'amplitude fréquentielle du pont variera selon différentes conditions de stress et de maintenance, tout comme celle de l'opéra variera avec chaque troupe qui l'exécutera et avec chaque représentation de la troupe. L'amplitude de la fleur changera en fonction des conditions environnementales et des différentes étapes de sa vie. Dès lors que vos créations préservent leur intégrité avec la Totalité de ce qui est et avec les degrés d'amplitude propres à leur système de réalité, votre fréquence/valeur continuera à émettre à partir de celles-ci.

Personne ne peut connaître le spectre complet des manifestations qui découleront des stimuli créatifs. Personne ne savait à quoi ressembleraient une tulipe, une rose, un gland, un orme, un ornithorynque, jusqu'au moment où la valeur axiale de chacun a incité toutes les autres valeurs à un pattern collectif qui s'est stabilisé en révélant sa forme par rapport à la Terre. Nul être ne savait à quoi ressemblerait un être humain jusqu'au moment où l'organisation de valeurs constituant la forme humaine l'a produit. Dans un autre contexte de réalité, un être humain pourrait être configuré avec un corps de lumière en spirale nanti de yeux omnidirectionnels ou avec une luminosité pareille à une comète.

La valeur que vous incarnez et que vous exprimez n'est pas votre unique expression dans le monde ou dans l'Univers. Vous possédez de multiples manifestations. Votre valeur peut aussi bien s'exprimer en un minéral ou en un élément, comme processus organique, comme odeur, comme algue, en une faculté psychologique, comme motif géologique, comme attribut culturel ou en un poisson. La violette africaine que vous chérissez et votre tendre ami d'enfance pourraient bien être deux manifestations du même être. Même si un abysse les sépare, chaque manifestation d'une valeur peut inciter la réalisation de soi chez les autres.

Vos scientifiques et vos métaphysiciens apprécient peut-être ce qu'une telle assertion implique par rapport aux champs et à la résonance morphiques, soit le passage d'influences formatrices fortuites de par l'espace et le temps.

Chaque constellation d'énergie – un arbre, une pierre, une idée, même un rêve – constitue la manifestation d'une valeur ou d'une combinaison unique de valeurs. La plupart des gens ne sont pas encore suffisamment sensibles pour voir directement la lumière et la couleur, pour entendre les ondes sonores ou reconnaître les valeurs discrètes qui composent les gens, les choses, les sensations. Avec l'accroissement prochain de la sensibilité de l'humanité, toute chose participera au dialogue avec l'Univers. Non seulement les objets les plus ordinaires autour de vous s'avéreront réceptifs et multidimensionnels, mais chaque être dont vous ferez la rencontre – humain ou autre – se révélera un vaste créateur de réalité.

7. Est-il possible de transcender

la subjectivité et de percevoir

la réalité des choses ?

*B*ien que la subjectivité puisse paraître contraignante, elle n'a pas besoin d'être remédiée. Elle permet de faire d'une vie un moyen d'autoexpression plutôt qu'un véhicule permettant de s'identifier parmi les constructions accumulées d'autrui.

La subjectivité est un attribut de la Totalité de ce qui est. Elle vous permet d'être le créateur de votre expérience de vie en vous permettant d'accorder aux objets et aux situations une infinie variabilité et une multitude de significations. Elle donne lieu à la créativité et soutient l'individualité. Votre subjectivité vous appartient en propre, et pourtant, elle est innée à la nature de tous les êtres. C'est une valeur universelle.

La capacité d'accorder aux objets et aux situations des significations subjectives constitue un mécanisme inné d'autoguérison. Elle vous rend apte à guérir spontanément une blessure qui peut dater de plusieurs années. Imaginez-vous en balade dans la forêt. Le soleil éclabousse le haut des arbres, et une douce brise apporte avec elle un arôme de sauge sauvage. Au moment même où vous prenez conscience de l'odeur de la sauge, vous regardez vos chaussures rouges. Rien de particulier ne s'est produit. Pourtant, vous vous sentez ému au point de vous mettre à sangloter. Sans vous en rendre compte, vous reproduisez la configuration des éléments d'une situation qui vous bouleversa lorsque, enfant, vous vous êtes un jour trouvé dans la cuisine de votre grand-mère. Celle-ci, portant un tablier rouge, confectionnait un condiment avec cette épice. La brise pénétrant par la fenêtre de la cuisine disséminait les effluves dans toute la maison inondée par le soleil – le tout au moment précis où se produisait un événement douloureux vous touchant personnellement.

Le magnétisme vibratoire sympathique vous donne la capacité de retracer sans effort les variables d'un moment passé. Votre subjectivité leur accorde un sens. Un besoin, conscient ou subconscient, de guérir cette blessure datant de l'incident dans la cuisine de votre grand-mère vous pousse à reconstruire les variables sensorielles de l'incident. Cependant, la balade en chaussures rouges dans un boisé venteux où flottait une odeur de sauge a-t-elle éveillé en vous l'occasion de guérir, ou est-ce le besoin de guérir qui vous a incité à cette promenade ? Pour ce qui est des événements multidimensionnels, la simultanéité universelle passe souvent outre au temps local. Il est presque impossible de savoir quel facteur joue le rôle de stimulus et lequel sert de réponse.

Lorsque vous recréez les variables d'une expérience passée, votre subjectivité actuelle les nuance d'une manière telle que l'incident historique n'a pas besoin d'être apparent. La synthèse des fréquences du fait historique vous réaligne sur l'énergie du moment et vous procure ainsi une occasion de guérir et de régénérer les valeurs alors affectées. Le processus est entièrement subjectif. Que votre évocation de l'événement soit consciente ou inconsciente, la subjectivité vous rend apte à attribuer à ses variables une signification nouvelle. La façon d'intérioriser les stimuli du nouveau moment est susceptible de transformer la souffrance et la signification de l'événement passé, et de provoquer ainsi une guérison spontanée. Voilà l'alchimie de l'autoguérison. Au cours de votre vie, elle se produira fréquemment, mais vous n'en serez que rarement conscient.

Si vous examinez cette idée dans le contexte multidimensionnel qu'est la mémoire de l'âme, le référent le plus profond auquel mènent les chaussures rouges pourrait être une expérience de l'âme au sein d'une culture plus primitive où un fil rouge entourant la cheville vous désignait comme candidat pour la mort. Votre mental conscient situe peut-être le souvenir douloureux dans la cuisine de votre grand-mère, mais ce qui rendit pénible cet événement est peut-être ce souvenir de la ficelle rouge au tréfonds de votre âme.

Toute perspective joue le rôle d'une lentille qui restreint automatiquement votre perception à l'envergure de celle-ci. Chaque système d'énergie complexe est constitué de sous-systèmes plus petits, et chacun est doué de ses propres stimuli, de son magnétisme, de son organisation des valeurs. Sur terre, les gens font habituellement l'expérience de l'effet général de ces sous-systèmes. En saluant quelqu'un, vous recevez une impression globale. Vous ne percevez pas la vibration des aliments du petit déjeuner, qui se distingue de la vibration d'une nuit de sommeil imperturbable ou de celle des fonctions rénales. Cependant, ces vibrations discrètes se communiquent aussi clairement que la vibration gestalt – si la faculté de perception est présente. Chaque instant d'expérience peut être perçu au travers d'un microscope, d'une loupe, d'un zoom ou d'un télescope. Peu importe ce que vous percevez comme système plus vaste, il en existe toujours un plus grand ou plus petit. Vous concevez que la cellule vit dans le rein, que le rein vit dans le corps. C'est vrai. À l'intérieur de quoi vit donc le corps ?

Tout ce qui vit au cœur d'une perspective que vous croyez être subjective possède toutefois des valeurs mesurables et réelles à sa source. L'énergie, la fréquence, la vibration, le magnétisme et la conscience sont des réalités objectives qui ne sont pas intrinsèquement subjectives. Du fait que leur nature soit perceptible seulement lorsqu'elle s'avère sympathique à l'observateur, vous êtes porté à les considérer comme subjectives. Seul le fait de connaître votre esprit rend possible la perception de la nature essentielle de ce qui se présente à vous. C'est dans la mesure où vous ignorez le contenu et l'impact de votre esprit que peuvent s'installer la projection et la distorsion. Une fois aptes à mesurer la réalité objective de ce qui semble présentement subjectif, les distorsions issues de votre propre esprit ne vous apparaîtront plus. Elles deviendront également mesurables.

Le fait de mesurer l'invisible peut sembler une idée futuriste. C'est toutefois ce que plusieurs instruments de votre quotidien accomplissent. Votre antenne parabolique capte d'invisibles signaux dans l'air et les convertit en sons et en images télévisés. L'humidité invisible de l'air est mesurée par un baromètre et vous est rapportée par le météorologue. Les instruments musicaux, telles la guitare, la trompette et la cornemuse, sont accordés à un compteur qui lit leurs fréquences sonores invisibles.

Par ailleurs, plusieurs technologies médicales complexes mesurent d'invisibles signaux physiologiques et reproduisent en images les mécanismes internes du corps. Ces dernières comptent l'électroencéphalogramme, le scanner à résonance magnétique, la tomographie axiale informatisée. Il existe en outre nombre de moyens moins techniques pour mesurer la nature réelle des vibrations. Ces moyens pourraient apporter une amélioration radicale aux ressources actuelles pour la santé et l'art de la guérison. Cependant, l'establishment scientifique oppose une résistance qui bloque la recherche et le développement indispensables à leur validation dans votre contexte. Les cristaux, les pendules, les photographies de l'aura et les analyseurs du spectre bioénergétique sont tous employés à la lecture des vibrations et avec divers degrés de précision. Certains de ces instruments précèdent l'avènement de la science. Cependant, on les trouve trop subjectifs pour être considérés comme fiables scientifiquement.

Votre présent modèle scientifique institue aujourd'hui des technologies servant à l'unification des réalités subjective et objective. Celles-ci serviront à donner naissance à la science qui vous attend juste au-delà du seuil du nouveau millénaire. Parmi ces technologies novatrices, l'une des plus poussées est un instrument de mesure bioénergétique conçu par un kinésiologiste expert de l'Université de Californie. Son instrument permet de mesurer les vibrations corporelles sous forme de réalité substantielle. Cette technologie, ainsi que les concepts qui l'expliquent, sont susceptibles de modifier les procédures diagnostiques et l'art de la guérison dans la civilisation occidentale. Le modèle que cet instrument fournit aux applications pratiques d'information multidimensionnelle illustre bien les efforts d'une portion de la communauté scientifique qui prépare l'avenir de la science de l'humanité en travaillant déjà suivant un paradigme intégral, multidimensionnel et basé sur l'énergie.

En tant que facilitateur de communication interdimensionnelle, je ne suis pas sujette aux contraintes de votre science. Le langage que doivent employer les scientifiques du monde pour étayer leurs travaux ne leur permet d'utiliser que trois dimensions plus celle qui régit le temps. Ce n'est pas assez vaste pour exprimer les découvertes actuelles ou les réalités universelles qu'effleurent ces découvertes. Les physiciens sont forcés de réconcilier leurs vues sur l'Univers avec la réalité physique. En franchissant cette frontière, ils basculeraient dans le domaine de la théologie, domaine qui ne possède pas plus que la science la capacité de discerner la réalité objective. Chacune de ces réalités – physique et théologique – est incomplète et fait partie d'une autre, plus vaste. Lorsque j'aborde les valeurs universelles et leur objectivité essentielle, je fais référence à cette réalité plus vaste.

Tout dans l'Univers se fonde sur quelques pierres angulaires : fréquences, valeurs, magnétisme. Peu importe l'endroit de l'Univers, nous opérons tous d'après ces fréquences et ces valeurs. C'est ce qui permet la communication interdimension-nelle et entre les espèces. La différence repose simplement dans la façon d'accorder priorité à ces fréquences et à ces valeurs, relativement à la nature de chaque système de réalité. L'illusion, la confusion et les fausses conceptions découlent du fait que ces pierres angulaires sont inverties ou désalignées au cours de la construction de la réalité – et que personne ne corrige l'erreur.

Contemplez ce qui suit et prenez soin de ne pas vous limiter aux points de vue populaires sur les valeurs et leurs implications éthiques ou morales. J'aborde les valeurs universelles en tant qu'états essentiels et objectifs plus fondamentaux que votre conception générale des valeurs.

~ ~

Toute chose, toute sensation, pensée, idée, tout être ou toute condition qui a jamais été ou sera jamais possède une fréquence essentielle comme principe organisateur. Tous ont une valeur unique. Le pattern fréquentiel d'une valeur, pareil à une signa-ture, est toujours le même lorsqu'il apparaît dans l'Univers. La valeur d'une fréquence est à la fois conceptuelle et quantifiable.

Puisque la nature quantifiable de toute valeur est constante et mesurable, elle est mathématiquement représentable. Sa nature conceptuelle est également constante, mais la subjectivité peut nuancer son identification. La variabilité de toute fréquence ou de toute valeur est démontrée par son amplitude mesurable et reflète la plénitude avec laquelle elle est manifestée selon la circonstance, par rapport à son potentiel.

Une fréquence est un stimulus universel fondamental, une force vitale originale. Ses vibrations constituent son signal d'émission local. La conscience leur sert de véhicule.

Le *courage* est une fréquence vibratoire qui démontre sa valeur à la fois sur les plans conceptuel et mathématique. Une photographie du champ énergétique du courage exprimé extérieurement par qui que ce soit, partout dans l'Univers, révélerait le même pattern fréquentiel. Aucune ambiguïté n'est possible. Le courage est mesurable. Il constitue une réalité objective. L'amplitude vibratoire de la fréquence chaque fois exprimée reflétera les variations du courage. Ses amplitudes varieront selon la complétude avec laquelle se manifeste celui-ci en toute circonstance, en fonction du potentiel de l'instant. L'ambivalence ou la réticence mitigeront le courage, qui manifestera alors une faible amplitude, alors que s'il est pleinement exprimé, il montrera une amplitude élevée, de sorte que tous le reconnaîtront et pourront le nommer. Dans une configuration idéale des variables, le courage devrait manifester l'immensité de sa nature – son état absolu et objectif.

Nombre de gens croient qu'aucune réalité objective ou absolue n'existe. Ils diront que tout est subjectif et relatif. La vue cosmique affirme à la fois les réalités subjective et objective. En admettant la multidimensionnalité, leur relation devient évidente. Dans les contextes non illuminés, subjectifs, les variables se configurent rarement pour révéler la nature objective ou absolue des valeurs. Ceux qui ont cultivé une expérience intérieure fertile par la méditation ou par d'autres moyens épanouissant l'aptitude à répondre auront vraisemblablement connu l'état d'être de ces valeurs absolues.

Les êtres humains ne comprennent pas encore que les valeurs sont mesurables. Les fréquences sont considérées comme mesurables, mais vous ne voyez pas encore qu'elles sont à la fois conceptuelles et quantifiables. La forme-pensée conceptuelle à la base d'une valeur relève autant de la réalité objective que de la fréquence mesurable. Cependant, parce qu'elle est actuellement perçue au travers de la signification plutôt que par la mesure, elle est sujette à interprétations. Votre interprétation subjective alourdit les valeurs par le jugement moral.

Nous avons employé l'exemple du courage. La patience, la persévérance, la conformité, l'individualité, le discernement, l'empathie, l'ordre, la clarté, l'alignement, la subjectivité, la réceptivité, l'unification, la transformation et la fantaisie sont autant d'exemples de valeurs qui expriment leur propre pattern fréquentiel, unique et constant. La liste est sans fin. Tout ce qu'on peut imaginer est une valeur, qu'elle soit combinée, invertie ou désalignée. Lorsque l'humanité se penchera sur les valeurs sans leur attribuer de désignation morale ou de jugement, vous aurez collectivement progressé sur la voie de la paix, de l'unité et de la connaissance universelles.

Les fréquences universelles sont des forces originales qui expriment des valeurs simples. Elles sont comme les souches embryonnaires de la Terre dont une infinité de combinaisons découlent. Une combinaison de fréquences originales a pour résultat une formule de valeurs pareille à une recette de cuisine. La *spiritualité* constitue une telle fréquence. L'*organisation* en est une autre. Les deux sont douées d'une réalité objective. Leur combinaison peut se manifester sous forme de *religion* – une construction subjective. Les patterns fréquentiels de la *spiritualité* et de l'*organisation* seront tous deux évidents dans celui de la *religion*. Tout ce qui existe peut être retracé jusqu'aux fréquences originales.

Il fut un temps où il était inconcevable que l'on puisse mesurer ce qui compose aujourd'hui la table périodique des éléments. Ceux que vous interprétez et auxquels vous attribuez une nature subjective – entre autres, le courage, la santé, la dévotion, l'empathie – sont en vérité des fréquences aussi quantifiables que le cuivre, l'uranium et l'hydrogène. Les valeurs universelles qui demeurent à ce jour inconnues ne diffèrent en rien de ce constat, car elles deviendront aussi éventuellement mesurables.

Comment la vie serait-elle si vous pouviez d'abord faire l'expérience des valeurs grâce à l'évolution de vos facultés sensorielles et si vous pouviez ensuite les mesurer physiquement ? Vous sauriez à quel point une personne avec qui vous êtes en contact a développé son intégrité, sa générosité, sa capacité d'empathie, sa santé physique, sa stabilité émotionnelle. Vous sauriez si on vous apprécie, si on vous manipule, si on vous ignore ou si on vous comprend. Lorsque le comportement d'une personne ne correspondrait pas à sa réalité vibratoire, votre perception vous signalerait la disparité, vous ferait apprécier les intentions et identifier véritablement les facteurs à l'œuvre.

Le fait d'apprendre à reconnaître les valeurs et à mesurer l'invisible ne vous privera aucunement de votre subjectivité et ne vous fera pas pénétrer un monde objectif. Simplement, vos projections sur les gens et sur les situations cesseront de s'accomplir à votre insu. L'intention des autres vous sera évidente par les valeurs et les amplitudes fréquentielles qu'ils manifesteront. La manipulation et l'illusion n'auront plus leur place. L'intention deviendra transparente. Cette reconnaissance des valeurs vous affranchira des attentes démesurées. Vous pourrez concentrer votre énergie sur la création de votre être, de votre communauté planétaire et de relations plus satisfaisantes – sur terre et ailleurs.

———— ∽∿ ————

Lorsqu'il deviendra évident que les gens les plus évolués ou admirés demeurent malgré tout des œuvres inachevées, toute notion de supériorité ou d'infériorité disparaîtra. Lorsque la grandeur et la médiocrité présentes en chacun seront directement identifiables, une équanimité redéfinira votre expérience de l'humanité. La compassion et le soutien mutuel remplaceront le jugement moral. En conséquence, votre compréhension de la réalité se modifiera. Vous reconnaîtrez que vous partagez un défi commun en l'abordant de manières différentes et que personne ne va à l'encontre du défi. Vous verrez l'occasion que recèle presque toute situation, plutôt que de percevoir cette dernière comme un fait du hasard, de la malchance, de la chance ou de la conséquence d'erreurs commises par d'autres.

———— ∽∿ ————

Certains d'entre vous s'éveilleront aujourd'hui ; d'autres, demain. Une ère de réalisme inspiré est en cours. Elle se présentera à vous lorsque vous y serez présent. À son insu ou en toute connaissance de cause, votre société est déjà collectivement engagée dans la transmutation de sa subjectivité.

8. Que se passe-t-il lorsqu'une personne

atteint l'illumination ?

I n'est pas facile d'être chercheur, mais il n'est pas aisé non plus d'être découvreur. Du fait de la confusion de l'humanité et du désalignement des valeurs, le monde est un lieu difficile pour un être sensible et plein d'amour – qu'il soit chercheur ou découvreur.

Si vous êtes découvreur, tout devient connaissable, et la quête perd son sens. Renoncer à ce besoin tenace de chercher vous libère afin de goûter les grâces de l'illumination qui reposent en l'instant présent. En sachant ce qu'il faut chercher et comment voir, le monde matériel ne voilera plus la réalité essentielle. Tout ce qui est pertinent, peu importe sa situation dans la multidimensionnalité de l'espace, du temps et de l'existence, vous sera clairement révélé.

L'illumination vous pousse à vous habituer à la quiétude intérieure découlant du savoir plutôt qu'à la turbulente tension du questionnement. Cette transition modifie les cycles de votre existence. Au rythme nouveau de l'illumination, l'Univers entier afflue à travers vous, et vous êtes informé, sans effort, du potentiel de chaque instant. Cette information vous accorde le pouvoir de faciliter sa réalisation. En fournissant les stimuli permettant de libérer ce qui empêche la manifestation d'un potentiel, les êtres illuminés se prêtent à ouvrir la voie.

Le stimulus approprié peut produire une réponse apparemment magique. Par exemple, une femme chercheur est malheureuse ; elle est en quête d'un but et animée d'un désir de servir. Le gourou lui demande de se déchausser et de faire la route à pied jusqu'à la place du marché à plusieurs kilomètres de là. Sur la route, elle se livre à toutes sortes d'élucubrations sur les raisons qu'avait le gourou de lui attribuer cette tâche. Lorsqu'elle atteint finalement le marché, ses pieds meurtris sont couverts d'ampoules. En recherche d'un onguent pour les soulager, elle aboutit dans le jardin d'un herboriste avec qui elle se trouve en résonance profonde. Cet homme se montre un maître affectionné et lui enseigne l'art des plantes, un moyen qui lui offre les bases d'une voie de service riche de sens.

Au fil des années, la chercheuse contempla la sagesse du gourou qui l'envoya pieds nus sur la route menant jusqu'au marché. Il savait alors certainement que l'herboriste s'y trouverait. Il savait aussi qu'elle désirerait soulager ses pieds endoloris et trouverait l'homme dans son jardin cet après-midi-là. Elle crut que cela fut la révélation du gourou. Mais peut-être le gourou ignorait-il toutes ces choses ! Il rencontra une femme qui ne voyait aucune voie la menant au bonheur d'une vie de service – aussi l'envoya-t-il sur cette voie. Afin de l'aider à fonder son intention, il posa ses pieds fermement sur la terre.

Il est possible que le gourou ait été au courant de tout ce qu'imaginait cette femme, mais peut-être n'en savait-il rien. Cela n'avait pas d'importance. Il a rencontré une chercheuse qui n'arrivait pas à trouver la voie qui la mènerait au service. Illuminé à la nature de la vie, il savait que la seule voie que celle-ci pouvait emprunter était la sienne… Et que son lien à la Terre fournirait tout ce dont elle aurait besoin pour accomplir son but.

Un individu qui s'épanouit dans la réalisation de soi ne se détache pas de la vie ni ne transcende les passions personnelles. L'identité individuelle continue à être douée d'autoexpression, à réaliser ses potentiels issus d'autres dimensions de son être – dimensions dépassant celles qui caractérisent présentement l'humanité.

L'illumination est la réalisation de la capacité que possède un être humain d'arriver à une intégrité physique, émotionnelle, psychologique, intellectuelle, transpersonnelle et spirituelle. Cette réalisation aura lieu à la fois sur le plan individuel et en synchronicité avec le reste de l'humanité.

L'illumination n'implique pas que toute chose à connaître et à sentir soit spontanément connue et sentie. Elle signifie plutôt que vous avez fusionné avec la nature universelle et avec les ressources universelles de votre âme, que vous êtes pleinement prêt à réaliser le potentiel de votre fréquence/valeur à tout instant d'alignement.

La réalisation de soi enrichit la vie, et les problèmes propres à chaque degré n'empêchent pas l'accès au pouvoir de résolution de la sagesse du degré ultérieur. Vous êtes libre de jouir de votre multidimensionnalité même au sein d'actions répétitives terre-à-terre comme couper du bois et porter l'eau. Il n'existe aucune résistance, aucune manipulation ni aucun besoin de contrôle qui ne voile votre source constante d'information sur la nature en changement perpétuel de la Totalité de ce qui est. Vous maîtrisez la capacité de vous comprendre et de vivre l'instant présent sans vous encombrer des attachements passés ou de projections futures. On confond souvent cette capacité avec le fait de vivre libéré du monde matériel et des responsabilités qui en découlent. En réalité, c'est une capacité à vivre librement *au sein* du monde matériel et de ses responsabilités. Tout comme le matérialisme forcé peut consumer l'esprit, la spiritualité forcée peut consumer les richesses de l'expérience matérielle.

Celui qui se préoccupe des expériences passées n'est pas ouvert à l'information du présent univers. La position de l'illumination implique d'être présent à soi-même. C'est là l'alchimie du yoga. L'illumination est une transmission intemporelle depuis l'âme, un don de la Source, un processus perpétuel d'affinement de la conscience. Si vous êtes présent à vous-même, vous êtes ouvert à l'information sur la nature évolutive et changeante du monde et de l'Univers.

Lorsque le spectre de votre capacité de réponse rejoint en ampleur votre nature multidimensionnelle, vous connaissez sans effort la condition d'être de tout ce sur quoi vous concentrez votre attention. Cette connaissance vous parvient à travers votre corps, vos sens, votre expérience quotidienne et vos ressources intérieures multidimensionnelles. Le fait d'habiter votre forme de cette manière permet à votre conscience de capter constamment les informations et les idées les plus récentes. Les journaux peuvent présenter un certain intérêt pour vous, mais il n'est pas nécessaire de les lire, sauf pour savoir comment les autres interprètent les changements dans votre réalité collective. Comme être illuminé, vous êtes perpétuellement au courant de la situation des choses. Vous savez directement ce qui change parce que cela *vous* change.

Par rapport au monde, les horizons de l'être illuminé s'étendent pour inclure d'autres dimensions de la réalité universelle. Lorsqu'elles sont réalisées et intégrées, d'autres se dévoilent encore. La réalisation consiste à donner une réalité à ce qui est potentiel, et celui-ci est infini.

De par leur capacité à manifester ce potentiel, ceux qui sont illuminés paraissent souvent puissants – et effectivement, ils le sont. Le vrai pouvoir découle de l'alignement de l'humain avec la nature universelle. Dans cet état, votre pouvoir se manifeste sans effort.

La nature de l'énergie est de réagir, et elle ne fait aucune discrimination quant au contenu. Chaque fois que vous concentrez et dirigez votre énergie vers un but créatif, vous alignez votre volonté humaine avec l'énergie de la création et faites ainsi l'expérience d'un certain pouvoir. Ce pouvoir, peut-être le ressentirez-vous ou l'exprimerez-vous comme force, comme direction, ou comme validation ; ou peut-être comme contrôle, puissance, ou supériorité. Si votre volition se dirige de façon créative vers une chose issue de la manipulation égocentrique et se concentre sur elle, l'expérience superficielle sera la même : la prise de pouvoir. Peu importe le contenu ou la valeur éthique de votre acte, l'application créative de l'intention engendrera en vous un sentiment de prise de pouvoir.

Vous avez le choix : ou vous êtes sous l'emprise de votre ego ou celui-ci est à votre service. L'individu doit savoir discerner les valeurs et l'intégrité. Là repose l'illumination – le seul pouvoir véritable et durable. Le fait d'aspirer au contrôle plutôt qu'à l'alignement sur des valeurs universelles, ou au gain personnel plutôt qu'à l'intégrité collective, fait partie d'un même processus. Ces aspirations se situent simplement sur différents degrés d'amplitude de conscience et d'amour. Le Soi égocentrique épuise éventuellement les satisfactions que lui procure le pouvoir et éprouve un désir d'amour. Lorsque cela se produit, le

pouvoir se redéfinit sur un plan universel, et une vie captive des
cercles du pouvoir se libère en spirales de prise de pouvoir.

———————————— ∽∽ ————————————

La nature, capable de discerner sans discriminer, n'estime pas davantage un Soi universel ou une âme qu'un Soi personnel de ce monde. C'est pourquoi la créativité générée sur l'un ou l'autre de ces plans est également source de pouvoir. Chaque dimension du Soi ou de l'âme possède la capacité d'informer les autres. Ultimement, la pleine réalisation de la relation entre le Soi et l'âme engendre la libération de l'ego et l'illumination.

Les enseignements ésotériques traitent de l'expérience de maîtres illuminés qui possèdent cette faculté de se manifester dans plusieurs lieux à la fois. Le corps matériel se trouve à un endroit alors que le corps énergétique/lumineux est ailleurs. L'ubiquité n'est pas qu'une métaphore ; c'est un fait tangible. Cette faculté découle naturellement de la pleine réalisation d'une relation égale entre le Soi personnel et l'âme. Lorsqu'existe cette égalité, chaque aspect amène les ressources de sa propre nature dans la forme de l'autre. Lorsque chaque aspect du Soi a réussi, au fil du temps et de l'expérience, à informer l'autre de sa nature, chacun contient pleinement les aptitudes de l'autre. Ce processus permet à chacun de participer au domaine de l'autre. Votre Soi terrestre peut transcender sa forme et participer au domaine de votre âme, et son corps énergétique/lumineux peut assumer votre forme et participer au domaine terrestre. Il est également possible que ces deux aspects d'un être apparaissent simultanément dans le même domaine. L'ubiquité atteste du pouvoir alchimique de syntropie.

L'ubiquité volontaire demeure encore une faculté exceptionnelle chez la plupart des êtres humains et résulte naturellement de l'alignement du Soi personnel et de l'âme universelle. Il est impossible de l'enseigner ou de l'apprendre ; cependant, jusqu'à ce que se produise l'alignement, on peut s'y exercer et la raffiner une fois qu'elle est apparue naturellement. D'autres processus – à ne pas confondre avec ce phénomène d'ubiquité – dont la vision à distance, peuvent être acquis et ne dépendent pas de l'intégrité ou de l'illumination.

Vous croyez peut-être que la maîtrise du Soi et l'illumination découlent de facultés supérieures qui distinguent les maîtres du reste des humains. Tel n'est pas le cas. Ils n'ont pas réussi de plus grand défi que ceux que vous rencontrez quotidiennement. Un maître, ou être illuminé, est celui qui connaît pleinement son Soi. Puisque chacun de nous a en lui la Totalité de ce qui est, il n'existe rien à maîtriser au-delà ou à l'extérieur du Soi.

L'état d'illumination, ou maîtrise du Soi, fait de vous un alchimiste. Les transformations découlent, à l'intérieur ou à l'extérieur des confins de l'espace et du temps, de votre aptitude à transmuer et à faciliter l'énergie. Le fait de voir toutes les possibilités contenues dans chaque instant vous permet d'actualiser ces possibilités. Vous pouvez accomplir ces choses en rapport avec le monde parce que vous pouvez les accomplir en vous-même.

Puisque la créativité et le pouvoir sont disponibles peu importe la valeur morale, comment vos actes de volition et de pouvoir sur terre affectent-ils le reste de l'Univers ? De toutes les manières ou, quelquefois, pas du tout. L'Univers coopère en un système d'existence circulaire. Chaque instant qui exprime son plein potentiel dans l'Univers est vécu partout comme achèvement et vitalisation. Votre amour de la vie, votre expression de l'amour et votre aspiration à la réalisation de soi sont essentiels

au système circulaire de la Totalité de ce qui est. La vie s'au-
toalimente.

Tout moment en lequel vous exprimez moins que votre potentiel
n'alimente pas l'Univers, mais il ne lui nuit pas pour autant.
Ne trouvant aucun alignement avec l'intégrité universelle, ces
expressions n'ont aucune cohérence dans le système universel.
Elles ne produisent que rarement un impact sur le système uni-
versel. Cependant, elles peuvent affecter votre réalité person-
nelle et collective.

Tous ont besoin de la liberté personnelle de créer leur propre
réalité et de découvrir leurs moyens d'apprentissage, même si
l'impact de leur pouvoir semble intéressé. Nous, qui jouissons
présentement de systèmes plus illuminés que le vôtre, sommes
nantis de ce privilège. Nous avons tous appris par l'action. Nous
avons tous laissé libre cours à nos tendances afin d'apprendre.
Du moment que vous ne brimez pas la liberté de l'autre, personne n'a le droit de juger les processus personnels et collectifs
par lesquels vous explorez et évoluez. Soyez tous assurés que
l'illumination d'un seul être humain illumine bien davantage que
la confusion d'une multitude n'obscurcit.

L'illumination universelle transcende l'explication, même pour
ceux d'entre nous qui concoctent des mots afin de communiquer
les essences. Elle vous entraîne dans l'expérience directe de
vous-même en tant que l'Univers. Miraculeusement, la création
de l'Univers se récapitule en vous, réanimant le souvenir de la
Totalité de ce qui est et de la naissance de tout. L'illumination
n'est pas un but en soi. C'est un don, une grâce née de la réalisation de soi... un moment de transformation entre des forma-
tions.

9. Pourquoi la maladie et la souffrance ?

*L*es gens de la Terre profitent d'une conjoncture unique dans l'histoire de la planète. Déjà engagées dans un paradigme nouveau et à l'orée d'une transmutation planétaire, plusieurs personnes sont présentement sujettes à des manifestations de maladies qui n'existeraient pas en d'autres circonstances. Les configurations qui permettent votre éventuelle transmutation en une condition d'être plus illuminée permettent également un spectre exceptionnel de désintégrations, dont des dysfonctions du système immunitaire.

Deux changements profonds de la nature de votre planète sont en cours et augmentent momentanément votre vulnérabilité physique, car ils produisent les conditions alchimiques propices à la transmutation planétaire en un état d'existence plus illuminé : un premier a trait aux amplitudes fréquentielles de la Terre et un autre, au magnétisme de la Terre. Ces deux processus sont bien engagés.

Toutes les valeurs et fréquences de la Terre subissent une élévation d'amplitude. En raison de cette élévation à l'échelle planétaire, vous sentirez qu'il n'y a plus assez de temps pour maintenir la réalité que vous aviez construite il n'y a peut-être qu'un an de cela.

L'augmentation de votre amplitude vibratoire vous met en résonance avec des aspects des réalités locale et universelle à ce jour méconnus de vous. Vous avez davantage conscience de l'interrelation qui existe entre les choses et de son implication. Votre présente perception s'enrichit de dimensions, de dynamiques et de complexités nouvelles – sans toutefois qu'augmente le temps que vous devriez mettre à les intégrer et à les explorer. En termes plus concrets, cela signifie que, pendant les dix minutes consacrées à vous faire un shampoing, votre esprit se tourne vers des préoccupations beaucoup plus complexes et significatives que jamais. Il est probable que vous êtes davantage conscient du lien étroit entre chacune de vos pensées, de la totalité de votre expérience. À cause du manque de temps nécessaire pour digérer et intégrer votre ouverture de conscience, vous en ressentez une diminution relative. À moins d'avoir déjà simplifié votre vie pour demeurer à l'écoute des rythmes de l'intégrité universelle, le plaisir des douches dépourvues de toute réflexion est chose du passé.

Votre réaction première à l'amplitude accrue des fréquences terrestres sera peut-être d'accélérer un tout petit peu, puis encore et encore, pour faire face aux stimuli qui se multiplient dans votre vie.

Jusqu'à ce que vous lâchiez prise et conceviez de nouveau votre vie et vous-même en réponse aux rythmes naissants d'intégrité planétaire, il est fort probable que vous vous sentirez dépassé, bousculé et limité dans le temps. Les amplitudes des fréquences reçues et les rythmes évolutifs de la conscience étayent un jeu interactif sacré entre le Soi et l'âme. Leurs stimuli affectent la physiologie et les synapses programmées génétiquement depuis maintes générations. Les phénomènes planétaires d'élévation de l'amplitude fréquentielle et de diminution du magnétisme entraînent votre conscience individuelle et collective. Et ce phénomène d'entraînement est intégral. Il ne passe pas outre au libre arbitre. Son véhicule est le magnétisme vibratoire sympathique.

∽∼

Nombre d'autres facteurs contribuent à la déstabilisation du temps. La technologie informatique et les médias électroniques suscitent des modifications dans les cycles des attentes, des interactions et des synapses humains. Les cycles d'activité diurne et de repos nocturne ne correspondent ni à l'horloge ni à la nature planétaire. Un facteur encore plus important réside dans le fait que la rotation de la Terre est au ralenti. En effet, la Terre prend maintenant plusieurs minutes de plus pour accomplir sa rotation de l'aurore au crépuscule et du crépuscule à l'aurore.

Gregg Braden exprime une compréhension profonde et limpide du phénomène dans son ouvrage *L'Éveil au point zéro* : « À deux reprises en 1992 et à au moins une fois en 1993, le National Bureau of Standards à Boulder, au Colorado, dut remettre à l'heure les horloges atomiques au cæsium pour rattraper le "temps perdu" de la journée – car les jours s'allongent au-delà du rythme des horloges. »

∽∼

Avec la déstabilisation du temps et l'expansion de la conscience, il n'est pas étonnant que plusieurs se sentent déroutés et se rendent progressivement compte que leur mode de vie actuel est artificiel. Ces intensifications constituent l'im-

pact transitoire de l'élévation des amplitudes fréquentielles à l'échelle planétaire. On doit atteindre un point d'unification où la complexité se transformera en une simplicité profonde et où un nouveau rythme d'existence s'instaurera. En fonction de l'envergure globale que prendra ce phénomène, le point d'unification sera une illumination personnelle ou collective, une transformation, ou transmutation, de conscience.

Ceux qui connaissent intimement les rythmes de l'intégrité, de l'harmonie, de la grâce et de la beauté seront les premiers à reconnaître ce changement dans les amplitudes fréquentielles et à s'aligner sur celui-ci. La simplicité détient la clef de cet ajustement. Ceux qui réussissent à maintenir leur performance face aux exigences ajoutées à la complexité accrue prendront davantage de temps à s'aligner sur le changement en cours.

Simultanément à ce changement, la Terre est sujette à une modification de magnétisme, le processus de transformation impliquant même la désintégration de ce dernier. Le magnétisme terrestre gouverne le rythme de la rotation planétaire, il encadre vos idées et vos perceptions dans un système de réalité relativement imperméable. Sans lui, aucune dynamique ne soutiendrait les idées et les concepts que l'expérience trouve fallacieux. Sans la constance du magnétisme, d'autres systèmes de réalité et dimensions s'infiltreraient constamment dans votre réalité. Il serait alors difficile d'attirer l'énergie nécessaire pour manifester une idée basée sur des valeurs inverties ou mal alignées.

La présente phase transitoire du processus transmutatoire implique un effondrement du magnétisme de la Terre. Celui-ci devient plus perméable afin de permettre l'instauration de nouvelles coordonnées de magnétisme et d'amplitudes fréquentielles.

*En d'autres termes, lorsque vous émettez un stimulus endémique
au paradigme en dissolution, le contexte récepteur – le monde –
perd de sa cohérence. En raison de cette perte, les occasions d'interférence entre le stimulus et la réponse se multiplient, ainsi que
les occasions de transformation.*

*De par sa nature, un processus transmutatoire pousse l'énergie
du système en dissolution à résonner avec le système en formation. Il sera désormais de plus en plus difficile de créer quoi que
ce soit de compatible avec l'ancien système, et en outre, l'énergie
disponible pour ce faire diminuera. De même, il sera de plus en
plus facile de créer quelque chose en résonance avec le système
de réalité émergente, car une quantité croissante d'énergie planétaire est transmuée et devient disponible pour répondre à cet
autre niveau. En bref, il deviendra plus difficile de consumer l'espoir et toutes les autres ressources naturelles, ou d'aller chercher
de l'appui pour soutenir des valeurs comme l'avidité, la compétition, le contrôle, la séparation ou toute autre valeur semblable.*

*À mesure que les gens intègrent l'amplitude accrue de leurs
valeurs axiales et de toutes les fréquences qui constituent leur
réalité, leur compréhension et leur comportement s'aligneront
davantage sur les valeurs universelles. Une telle population
transformera l'environnement social et, éventuellement, ce que
nous appelons la réalité.*

***

Le processus en cours depuis déjà un demi-siècle se poursuivra à
un rythme accéléré au cours des prochaines années. Les phénomènes d'élévation d'amplitude et de la diminution du magnétisme
ne sont pas passés inaperçus par ceux qui mesurent la fréquence
et le magnétisme. Cependant, il n'existe pas de contexte conceptuel faisant l'unanimité susceptible de donner un sens à ces obser-
vations.

La transformation est la capacité d'un système intègre à changer de structure et de comportement en laissant toutefois sa nature intacte.

La transmutation est la capacité d'un système intègre à changer de structure et de comportement à un niveau si fondamental qu'il révélera divers aspects de sa nature. Elle peut inclure la transfiguration, ainsi que la manifestation sous de nouvelles formes. La transmutation constitue une réorganisation des valeurs qui vise à réorienter l'énergie de l'ensemble d'un système de réalité. Le système et l'ensemble de ses potentiels seront projetés vers un nouvel état d'intégrité, par des moyens qui transcenderont à la fois l'état antérieur et celui nouvellement incarné.
La prolifération des cellules nommées avec justesse « cellules imaginales » atteste du phénomène de transmutation déjà en cours dans la nature de la Terre. Ces cellules sont celles qui prédomineront et transmueront la chenille en papillon. Ceux d'entre vous qui incarnent les valeurs axiales ou les amplitudes fréquentielles accrues et critiques dans tout processus de transformation humaine deviendront les cellules imaginales de l'humanité. Individuellement, vous serez peut-être rejeté par la chenille comme si vous étiez un envahisseur, mais ensemble, vous constituerez sa force transmutatoire et sa survie.

Lorsque vous, qui incarnez et exprimez les valeurs de l'ère qui vient, vous rassemblerez pour accomplir un objectif commun, vous deviendrez incoercibles. La chenille s'abandonnera à la transmutation. L'humanité et sa réalité changeront de forme sans avoir à mourir. Cependant, jusqu'à ce que votre conscience atteigne une cohérence collective, la chenille tentera encore de vous fuir, de défendre sa survie comme si vous étiez un cancer.

Lorsque vous réfléchissez à cette idée de transmutation, penchez-vous également sur l'exemple du triton à taches rouges. Il naît dans l'eau et est apte à y vivre, mais développe par la suite un système complet de ressources et de fonctions lui permettant de survivre sur terre. Ces ressources pour la vie terrestre ne sont pas apparentes chez le triton encore en phase aquatique et, fait intéressant, elles ne se substituent pas aux systèmes essentiels au fonctionnement dans l'eau. Les deux systèmes préservent une intégrité simultanée.

La transmutation est un phénomène alchimique, une grâce universelle. Elle possède deux phases préliminaires : la transition et la transformation. La phase transitoire représente une période de changement conceptuel et énergétique subtil au cours de laquelle la perception s'étend, les valeurs se réorganisent et la conscience s'élève. La phase transitoire débouche sur la phase transformationnelle durant laquelle les changements subtils deviennent manifestes. Une action significative est entreprise afin de former et d'appliquer des alliances et des modèles qui attesteront des amplitudes de conscience élevées et d'une réorganisation des valeurs. L'humanité entre en ce moment dans la phase transformationnelle.

Au fil de ce processus, un nombre décroissant de gens tiendront pour réelles les idées et les convictions qui gouvernent présentement votre civilisation. Avec l'émergence de nouveaux modèles, les gens admettront avec plus de confiance que ce qu'ils ont toujours appelé « la réalité » n'est en fait qu'une série d'options parmi un éventail de possibilités. Avec cette concession, l'extériorisation des valeurs et de l'autorité diminuera. La direction et l'autorité intérieures acquerront une emprise plus vaste sur les réalités individuelle et sociale. Le fait de récupérer l'autorité, qui appartenait auparavant aux systèmes dysfonctionnels, permettra l'émergence de nouveaux systèmes sociaux compatibles avec les valeurs universelles, un élan facilité par ceux-là mêmes qui incarnent ces valeurs avec intégrité.

Ceux d'entre vous qui ont passé la majeure partie de leur vie à œuvrer à la transformation à venir doivent prendre courage, car la fenêtre s'ouvre sans nul besoin de forcer. La résistance des voies archaïques et non illuminées ne constitue pas un obstacle ; elle assure un contrôle crucial sur les rythmes de la transformation. L'humanité doit pouvoir survivre à cette transformation sans qu'il y ait destruction des corps physiques et dissolution en un chaos à la fois personnel et social. Ceux qui briment ou dévalorisent vos efforts, ou qui vous croient voués à l'échec et vous disent impuissants, immatures ou idéalistes, ne sont pas vos adversaires. Ils sont votre immunité collective et tirent leur pouvoir des valeurs mêmes qui alimentent votre immunité individuelle. Leur retranchement dans la résistance, la dualité et le contrôle vous sont utiles dans les circonstances. Vous ne pouvez vous permettre l'invasion d'une nouvelle culture – peu importe son élévation ou son universalité – qui consumerait votre ancien corps politique, votre ancienne philosophie, vos anciens corps tridimensionnels. Vous n'êtes pas encore tout à fait prêts à les remplacer. La conscience du futur opère déjà parmi vous, mais, jusqu'à présent, elle n'a pas été formulée pour une incarnation sociale réussie. Le futur est à l'état embryonnaire ; il emploie les ressources du présent corps collectif non illuminé.

Bien qu'il vous reste à établir de nouveaux modèles et des collectifs qui abriteront la vie et la fonction créatrice d'une société intégrale et alignée sur l'Univers, vous n'en êtes toutefois pas loin. Reconnaissant le besoin de transformation et ressentant un processus soutenu par les forces universelles, plusieurs d'entre vous ont connu une évolution constante, identifié le cadre conceptuel et défini les valeurs propres à une société humaine intégrale qui rendrait hommage à l'égalité spirituelle de toute vie. Vous acquérez constamment des nombres, des méthodes, des alliances, la reconnaissance de penseurs visionnaires, et vous voilà prêts à vous livrer aux applications pratiques. Votre aptitude à fonder un monde nouveau découle de la transformation qui s'est opérée intérieurement et de vos propres découvertes sur la manière de manifester pleinement la conscience dans le monde.

Tout ce travail de transformation s'avère indispensable à la transmutation – la fructification quantique de ce mouvement. Votre dynamique n'est cependant pas pleinement engagée. Vous ne vous êtes pas encore identifiés au vaste collectif que vous formez – la culture transformationnelle naissante. Vous n'avez pas encore reconnu la vastitude de votre nombre et n'avez pas encore formé de collectivité apte à satisfaire vos besoins élémentaires. L'identification de vos ressources et le fait de vous consacrer aux systèmes intégraux afin de combler ces besoins susciteront la confiance individuelle indispensable à votre unification comme collectif. Cela accélérera l'action transformatrice et déclenchera la dynamique universelle.

Il vous faut élaborer des modèles transformateurs. Montrez-vous pratiques. Inspirez-vous des opinions illuminées pour satisfaire les besoins primaires. Il faut transcender votre présent modèle économique et établir des structures qui vous procureront des aliments biodynamiques ou organiques, qui créeront des habitations coopératives ou collectives esthétiques tout en respectant l'environnement, une assurance-santé globale, ainsi que plusieurs forums où se prolongera le dialogue transformationnel. Toute manifestation tangible engendrera une conscience sociale positive et un désir commun de changer le système existant, petit à petit. Court-circuitez tout chaos potentiel en incitant chacun à un engagement conscient à un cycle de transformation sociale. Les gens se montreront instantanément à la hauteur d'une telle action dès le moment où des modèles efficaces et non compétitifs pour la perpétuation de la survie s'offriront à eux.

Lorsque la cohérence du magnétisme s'effondre et que les occasions d'interférence se multiplient, non seulement le cours normal des choses se bute à des difficultés grandissantes et le corps politique devient transparent, mais le corps physique lui-même montre une plus grande vulnérabilité devant l'interférence. Le système immunitaire ne peut plus se défendre dans un contexte rendu de plus en plus perméable à cause de la cohérence atténuée du magnétisme. La perméabilité des membranes cellulaires et l'affaiblissement de certains systèmes immunitaires individuels sont dus à la déstructuration des frontières de votre système de réalité. De par votre nature transitoire et encore dualiste, l'énergie transmutationnelle se manifeste dans votre système à la fois comme force et comme faiblesse. Ceux qui sacrifient leur vie à ce processus par le cancer, le sida, ou toute autre maladie doivent encourir une perte momentanée en vue de la réalisation collective du bénéfice de l'humanité.

Les dysfonctions de la vie telle que vous la connaissez sont consumées au feu de la culture qui naît de l'intégrité émergente. Naturellement, l'ancien système luttera contre son anéantissement prochain et apparaîtra dès lors comme un système dualiste. Un système immunitaire fonctionne suivant les prémisses suivantes : tout est séparé, les forces du changement sont des envahisseurs plutôt que des transformateurs de vie, et le système souverain est supérieur à tout autre.

Les guérisseurs et les arts de la santé prolongent à l'heure actuelle la conscience de plusieurs personnes à l'agonie et les nantissent d'états avivés en remplacement des brouillards pharmaceutiques. Depuis ces états, ces gens peuvent travailler à parachever un cycle de vie et à épouser la transmutation. Ce travail de guérison rend hommage aux dimensions invisibles dont se prévaut le mourant, l'alignant souvent sur une expérience de ces dimensions lorsqu'il est encore en vie. Vous avez créé des hospices encourageant la mort consciente et avez permis une résurgence de l'art de la sage-femme, favorisant ainsi la naissance en toute conscience. Ces deux types de pratiques dirigent l'énergie de la transition vers la croissance personnelle, l'alignement universel et la préservation des processus naturels. Un cadre de travail s'avère ensuite nécessaire, soutenu par les guérisseurs et autres facilitateurs, et fournira à votre civilisation l'opportunité de concentrer son processus transitoire collectif vers les mêmes buts – la croissance personnelle et collective, l'alignement universel, la préservation des processus naturels. Faites venir les sages-femmes. Devant vous la « crise » d'un accouchement naturel vous attend. Un labeur, un labeur d'amour.

Alors que se déploient des influences planétaires et universelles phénoménales, vous affrontez encore des soucis personnels urgents concernant la maladie, le mal, la douleur. Beaucoup de ces inquiétudes ne se dissiperont que lorsque le paradigme qui les engendre s'achèvera. Cependant, une information d'application plus immédiate et pratique vous serait maintenant utile.

En prenant conscience du fait que vous créez votre propre réalité, une fausse conception s'est répandue parmi vous. Les gens considèrent que leur pouvoir créateur implique aussi une responsabilité face aux maladies programmées génétiquement depuis des générations. Alimentée par la tendance humaine à la culpabilité, cette conception erronée s'avère particulièrement tenace. En tant qu'individus, vous n'êtes pas plus responsables de ces maladies que vous ne l'êtes de vos dents cariées après avoir consommé des friandises, alors que d'autres peuvent s'en gaver sans avoir de problèmes. Votre responsabilité commence là où il devient clair que vous êtes sujets à cela. Couperez-vous alors les friandises ?

Les facteurs d'hérédité génétique et de provocation environne-mentale sont du domaine de votre responsabilité, mais au-delà de votre contrôle singulier. Ce qui relève vraiment de vous est la maladie qui résulte de dissociations que vous créez ou que vous perpétuez en vous. Vous pouvez vous dissocier de vous-même physiquement, émotionnellement, psychologiquement, sur le plan transpersonnel ou spirituel de ces aspects qui constituent votre identité humaine. Par contre, toute séparation vous place dans une relation adverse à vous-même. Or, une telle relation implique toujours un blessé, quelqu'un qui souffre. Si vous luttez contre vous-même, qui sera perdant ?

---∾∾---

Le fait d'exclure un aspect du reste de vous-même constitue un rejet de votre nature, et cela crée une discontinuité dans votre courant vital. Pour autant que votre identité globale puisse compenser cette discontinuité, aucun symptôme évident de maladie ou de mal-aise ne sera décelable. Votre corps a une tolérance suffisante pour encaisser le stress temporaire d'une expérimentation favorisant votre maturité et votre réalisation personnelle. Cependant, lorsque les ressources qui amortissent le stress de la dissociation sont absentes, la discontinuité du flot énergétique résultera en un effondrement : la maladie ou le mal-aise.

Peut-être souffrirez-vous jusqu'à ce que vous puissiez recréer l'intégrité des nombreux aspects de votre identité, mais toujours votre corps coopérera à la régénération de votre nature. Même si cette coopération s'exprime sous forme de mort, elle fait partie d'un processus régénérateur plus vaste. Si la valeur/fré-

*quence d'une personne ne peut s'exprimer en une ressource de
santé plus vaste, le corps coopérera en achevant son cycle pour
permettre à l'être de se réorganiser et de se régénérer. À mesure
que vos capacités à la transmutation s'aviveront, vous élimi-
nerez cette cause de mort. Permettant la mort comme véhicule
de guérison, les ressources en vue de la guérison de toute
manifestation dysfonctionnelle existent au sein du cadre multidimensionnel de votre identité.*

L'acupuncture nous offre un modèle pour la compréhension des
relations multidimensionnelles de bien-être et de maladie. Selon
cet art ancien, chaque aspect de votre bien-être possède son
propre trajet d'énergie nommé *méridien*. Lorsqu'un méridien ne
régule pas correctement son flot d'énergie, il se bloque ou
emprunte à un autre méridien l'énergie requise. À moins que
l'équilibre ne soit recouvré par cet emprunt, le prêteur deviendra
lui-même emprunteur – encore et encore, jusqu'à ce que le système entier soit lui-même défaillant ou insuffisant. Cette thérapie
identifie le déséquilibre énergétique et facilite les trajets de sorte
que l'énergie peut se rétablir, ou retrouver un équilibre. Elle se
base entièrement sur les ressources multidimensionnelles inhérentes et sur l'intégrité de la conscience corporelle. Lorsque la
cause initiale de l'emprunt cesse de puiser dans le compte ban-
caire collectif, il y a autocorrection.

Dans l'optique d'une telle approche, chaque cas d'arthrite,
d'asthme, d'allergie ou de toute autre maladie spécifique est
reconnu comme l'effet d'un pattern causal unique. Nombre de
pathologies d'emprunt et de prêt peuvent être vues comme une
même maladie. L'acupuncture cherche à réinstituer l'équilibre
énergétique plutôt qu'à se concentrer sur la condition produite
par le déséquilibre. À l'instar d'une question conçue dans la
confusion et qui disparaît une fois la confusion évanouie sans,

toutefois, avoir obtenu de réponse, les maladies et les états qui résultent d'un déséquilibre de l'énergie cessent d'exister lorsque s'aligne l'énergie. Cette alchimie n'est pas exclusive à l'acupuncture. L'homéopathie et plusieurs autres médecines douces se basent sur cette compréhension multidimensionnelle.

Les relations de cause à effet dans la maladie ou le mal-aise sont plus évidentes lorsqu'elles se produisent à l'intérieur d'un même aspect de votre identité. Lorsqu'un objet souillé perce la peau et pollue les tissus ou la circulation, une infection s'installe. Au cours d'une chute en ski, une fracture se produit si le corps ne peut compenser le stress subi. Voilà quelques exemples d'effets physiques émanant de causes *physiques*. Même là, on peut se demander : « Qu'est-ce qui a causé l'infection à ce moment précis ? » ou « Pourquoi ai-je fait une chute si violente à ce moment de ma vie ? »

Il est beaucoup plus difficile de reconnaître et de soigner les dissociations *émotives ou psychologiques* de votre nature dont découleraient des manifestations physiques. Se faire une fracture en skiant a un lien de cause à effet plus évident qu'une fracture en ski causée indirectement par un cœur brisé. Si vos engagements exigent une attention indéfectible, alors que vous préféreriez vous retirer pour vivre votre chagrin et apaiser votre cœur brisé, la cause de cette fracture est cette scission régnant au sein de votre intégrité psychologique ou émotive. Au contraire, lorsque vous respectez vos besoins émotifs et psychologiques, nul mécanisme de déplacement n'est nécessaire. Vous pouvez choisir de mettre un terme à votre rythme de vie artificiel sans que cesse pour autant votre monde. Dans ce cas, une jambe fracturée est totalement superflue.

Il est généralement entendu que ceux qui se retrouvent constamment dans des situations tendues souffriront d'ulcères, d'hypertension et d'autres symptômes de mal-aise. Plusieurs de vos praticiens traditionnels se penchent sur les causes émotives et psychologiques de la maladie. De par leur formation mécaniste, ils sont toutefois spécialisés au point de nuire à leur aptitude à offrir les soins requis par des êtres multidimensionnels, c'est-à-dire l'ensemble de l'humanité. La plupart des tentatives visant à soulager les maladies dues au stress ne recourent qu'à des changements de comportement, soit à une mesure mécanique. Une telle approche produira des résultats sans toutefois toucher les causes sous-jacentes, créant ainsi un masque de santé qui dévoilera son visage véritable sous la forme d'autres maladies.

À cette conjoncture particulière, il est impératif d'assembler un groupe de guérisseurs et de médecins holistiques qui sauront fournir les soins nécessaires à un être multidimensionnel. La crise de la santé est rendue encore plus complexe du fait de devoir s'y retrouver parmi tous les points de vue et les ordonnances diverses. Cependant, cela s'ajoute à la croissance que vous tirez de votre processus de guérison.

La solidité de la passerelle que vous avez jetée entre votre être et votre comportement reflète votre aptitude immédiate à l'autoguérison.

En ce qui concerne les maladies causées par les scénarios du mental, toute prémisse en laquelle une personne croit fermement peut mener à l'annulation des instincts essentiels et nuire à la santé. Si vous croyez que la spiritualité vient du fait d'être végétarien mais que vous avez encore envie de viande, votre corps et votre esprit sont en dissonance. Si vous persistez dans votre végétarisme, alors que vous êtes carnivore, vous niez la personne que vous avez créée et vous vous dissociez mentalement de vous-même. Si plus tard, au cours de votre évolution, le végétarisme constitue une option valide, c'est qu'il correspond alors totalement à votre nouvelle identité. Ainsi, vous préférerez les aliments qui ne vous attiraient pas auparavant et, de ce fait, prospérerez au lieu de dépérir.

Votre présente identité sur terre *est* véritablement ce que vous êtes. Si vous niez cette vérité, vous vous dissociez de vous-même et passez à l'instant suivant sans y être entièrement présent. Si vous acceptez votre identité, vous passez en toute conscience vers l'instant qui suit, prêt à intégrer votre expérience. Le fait d'être présent à votre expérience vous permet naturellement une réalisation continue et croissante.

La manière dont vous vous séparez *collectivement* de vous-mêmes cause un problème d'envergure en raison des conditions environnementales actuelles. La majorité des aliments non organiques ne sont pas de la même nature que vous. Les produits alimentaires non organiques ou industriels vous sustentent vaguement. Cependant, ils affament certaines dimensions subtiles essentielles à votre bien-être. Ils pénètrent votre corps, ils sont *en* vous mais ne sont pas *de* vous – parce qu'ils ne sont pas *favorables* à votre nature. Il s'agit plutôt ici d'un rapport adverse. Qui donc en souffrira, croyez-vous ?

En rejoignant des degrés plus élevés d'amour, de conscience, d'intégrité et de capacité de réponse, le besoin de vous nourrir à ces niveaux augmente. Les éléments vibratoires plus subtils d'amplitude fréquentielle, l'odeur, la texture, la couleur et la structure atomique intégrale sont absents des aliments manipulés et produits en quantité massive. Si le développement des niveaux subtils de votre conscience vous tient à cœur et si vous ne mangez pas ces aliments qu'animent ces fréquences et ces amplitudes vibratoires ou ne les touchez pas, alors vous n'alimentez aucunement cet état de conscience que vous souhaitez atteindre.

———

Tout ce que vous mangez est destiné à devenir vos ongles, vos cils, vos cheveux, les cellules de votre épiderme, vos organes et votre conscience. Vous souhaitez que votre corps vibre au même niveau que l'Univers essentiel – et non à celui de l'épicerie. Les fréquences de vie ardentes ainsi que les nutriments de la Terre que fournissent une laitue fraîchement cueillie ou un jus d'orange nature sont exactement ce qu'exigent vos sens subtils. Si ces aliments ne sont pas consommés tout de suite, leurs patterns énergétiques subtils (fréquences) cessent de se générer et diminuent en amplitude. Votre conscience en évolution a besoin de cette sensibilité primordiale qui requiert une consommation immédiate, mais cette façon de faire est rejetée, car jugée impropre au commerce.

La pomme génétiquement conçue pour répondre aux caractéristiques qui satisferont les critères du commerce ne peut apporter la même sustentation que la pomme dotée par la nature d'un équilibre intégral. Votre technologie ne mesure pas sa présence puisque votre civilisation n'a pas encore compris la valeur de cet équilibre. Et c'est tout à fait compréhensible, puisque vous mesurez ce que vous connaissez et ce à quoi vous accordez une valeur. La pomme sera acceptée comme aliment vital, pourvu qu'elle soit délicieuse, bien rouge et qu'elle possède les éléments nutritifs en fonction de votre degré de perception. À cause de cette conscience sous-développée, vous cultivez et consommez des aliments qui n'ont pas suffisamment d'intégrité pour combler votre potentiel de santé. Chaque fois que vous permettez le déversement de rebuts dans l'environnement, vous vous dissociez de vous-mêmes. Vous ne pouvez pas vivre en santé alors que vous respirez ces produits chimiques et ces gaz, dont plusieurs sont toxiques. Qui donc en souffrira ? Le fait de saboter l'environnement équivaut à nuire à votre corps. Tous deux sont pourtant complets par eux-mêmes.

Si vous concevez des produits qui ne sont pas le résultat de votre intégrité, vous diminuez alors celle-ci en vous laissant aller à une velléité personnelle. Et en outre, vous désintégrez nombre d'équilibres subtils exquis qu'offre la nature et qui contribuent à votre bien-être. Jusqu'à ce que vous réaligniez ces déséquilibres et reconnaissiez la nature parfaite de votre environnement et celui de votre corps, vous entretenez le stress et la maladie plutôt que le bien-être.

∽∾

Ceux qui manifestent la maladie ou le malaise ne sont pas forcément ceux qui participent aux comportements autodestructeurs. Après quelques générations à respirer et à vous alimenter d'un cocktail de produits chimiques qui ne correspondent pas organiquement à votre nature, vous produisez désormais un héritage génétique qui accable la tolérance de la nature biologique. Les êtres humains sont effectivement capables d'une grande adaptabilité. Et c'est bien grâce à elle que seulement quelques corps sont empoisonnés par les radiations, le plomb et autres toxiques, ou qu'ils développent le cancer ou des déficiences de l'immunité.

Ceux qui reportent la nécessité d'effectuer un choix sont davantage vulnérables à la maladie et au malaise. Parce que leurs patterns liant l'énergie ne s'organisent pas sous l'effet du choix, ils intériorisent des choses qui affectent leur corps conscient. Les options que vous choisissez dirigent votre énergie vers leur accomplissement. Que ce choix émane d'une grande sagesse ou d'une piètre décision apportant tout de même une certaine sagesse, il devient un principe organisateur. Jusqu'à ce qu'il s'étende ou qu'un autre s'y substitue, il n'admettra dans le corps de conscience que ce qui collaborera à sa réalisation. Tel est le magnétisme vibratoire sympathique.

—∽∼—

Tout désalignement avec la nature qui va à l'encontre de vos tolérances organiques augmentera votre vulnérabilité générale. Si vous n'êtes pas aligné émotionnellement, vous en paierez le prix sur le plan émotif, mais en souffriront également votre santé physique, votre clarté intellectuelle, votre stabilité psychologique, votre réceptivité transpersonnelle, votre intégrité spirituelle. L'intensité de votre douleur est déterminée par vos intentions, votre système de valeur, votre héritage génétique et vos patterns énergétiques habituels.

—∽∼—

Un désalignement équivaut à une valeur mal conçue ou rejetée qui, une fois qu'elle circule dans la conscience de votre planète, circule également dans le corps humain. La Terre constitue une autre forme de l'identité collective humaine. Votre corps et la Terre sont deux expressions de la même formule complexe de la nature. Ils sont tous deux des environnements. Polluez l'un, et l'autre sera invariablement souillé. Si l'un ou l'autre s'avère pollué au-delà des limites de sa tolérance, tous les deux manifesteront éventuellement le désalignement par le malaise, la maladie ou d'autres formes de désintégration.

—∽∼—

À l'instar d'un corps humain dont le stress excède la tolérance et qui se consume lui-même peu à peu, une civilisation planétaire peut outrepasser les limites de ses tolérances biologiques et s'anéantir. Le noyau d'une cellule ne peut être reconstruit ni remplacé, et il en est de même du cœur d'une civilisation déjà *désintégrée*. Il s'avère impératif d'effectuer des choix dès aujourd'hui afin de préserver votre privilège décisionnel dans l'avenir.

10. Les prédictions à l'allure

de cataclysmes sont-elles valides ?

on corps est fait des mêmes éléments que la Terre et comprend un égal pourcentage d'eau et de minéraux. Mon intuition au sujet des bouleversements de la planète émane aussi bien des messages que me transmet mon corps que de l'information que me procure l'Univers.

Pour mon expérience ici-bas, j'ai choisi la forme féminine. Je connais le corps de la Terre par ma féminité. Mes cycles suivent sa lune et ses marées. Je porte ses générations futures, ses rythmes, ses intentions. Cette connaissance ne m'accorde pas une position supérieure à l'homme : elle est simplement diffé- rente. Les deux sexes appartiennent depuis toujours à la Terre et font partie intégrante de sa nature. Si j'étais un homme dans la civilisation actuelle, je la connaîtrais par ses forces ; en tant que femme, elle se révèle à moi par ses aptitudes. En tant qu'homme, je me familiariserais davantage avec la puissance de sa volonté ; en tant que femme, avec la puissance de sa tempérance. À mesure que croît l'alignement sur les ressources de mon âme, les qualités liées à chaque sexe s'incarnent l'une dans l'autre.

Les courbes sensuelles des montagnes et des vallées ombragées évoquent mon corps allongé sur son flanc, tels les monts et les crevasses parcourant l'horizon. Le contour d'une montagne solitaire dessine mon coude, alors qu'un autre trace l'ondulation de ma hanche. Lorsque le croissant solaire plonge dans l'océan, mon souffle s'échappe longuement de mon corps en un doux soupir. Lorsque disparaît le soleil, je demeure sans respirer, et ma réalité s'unit aux octaves invisibles où s'est enfuie sa chaleur. L'aurore insuffle en moi une vie nouvelle, un halètement irrésistible devant un glorieux lever de soleil. Je suis certainement la Terre en mouvance. Elle ne changera et ne pourra changer sans moi. Nous ne formons qu'un seul corps. Ses transformations sont les miennes.

Face à son chaos, explose-t-elle, tremble-t-elle, s'inonde-t-elle à un degré plus important ou moins important que celui de ses habitants ? Une multitude de gens peuvent-ils provoquer un travail important au cœur de leur origine, traversant bouleversements et réorganisations sans que la Terre gronde également et s'agite pour expulser ses rebuts et restituer son identité véritable, son état d'intégrité immaculée ? La Terre change intensément, bien sûr. Il en est de même pour *vous*. En tant que collectivité, votre capacité de déni et de fuite pour éviter la perturbation interne a atteint ses limites. Le schisme entre votre être et votre comportement ne tient plus dorénavant. En tentant de maintenir cette dissociation, vous vous êtes pratiquement anéanti. Vous êtes prêt pour une nouvelle fondation de l'être, pour une base qui unifiera les valeurs chères à votre cœur et à vos actions.

La Terre éclatera-t-elle en d'innombrables petits morceaux, condamnant ses cités à l'anéantissement et engloutissant ses continents ? L'économie mondiale s'effondrera-t-elle, vous permettant un retour à une vie simplifiée ? Si vous n'opérez pas de changements sur le plan personnel, il vous faudra affronter des transformations sur le plan collectif, forçant ainsi celles auxquelles vous n'aurez pas individuellement consenti. Ce que vous permettez possède l'intégrité et la grâce de l'inclusion. Plutôt que de mourir, l'ancien peut se renouveler. La transformation s'avère la plus avantageuse pour tous, mais elle est plus exigeante que la mort. La mort prévaut, même face à la résistance. Vous pouvez refuser, lutter jusqu'à la fin, tentant d'échapper au défi que pose toute évolution. La réincarnation sans la mort exige plus de courage, de confiance, d'amour et d'intelligence. C'est là ce qu'on attend de vous. Vos cités et vos nations – dont les perturbations quant à l'intégrité et à l'esprit de communauté se reflètent dans les ruptures et les tumultes de la Terre – sont appelées aussi à vivre une telle réincarnation. Il en va de même de vos systèmes économiques et des valeurs dont ils découlent. Leur défi consiste à se régénérer sans avoir à traverser la mort. L'opportunité qui s'offre à vous va au-delà de l'appel à la transformation. Elle est nantie du pouvoir qui est sous l'égide de l'Univers et qui incite à la transmutation, un phénomène de grâce qui émergera du mouvement transformationnel.

Qui seront les premiers à briser la dynamique des anciens principes ? Ceux qui sont avides de pouvoir et qui manipulent l'économie à des fins égoïstes ? Ceux qui prétendent dominer les domaines spirituel et intellectuel, et qui limitent secrètement la connaissance et l'exploration directes ? Ceux qui vendent des produits toxiques ? Ceux qui guident les autres par le biais des nombreuses thérapies qui, elles, enseignent la négociation, l'adaptation en vue du succès et le compromis plutôt que la poursuite et l'écoute de la direction intérieure ?

Qui cassera la dynamique en sortant du cercle des conventions ? Combien faudra-t-il de personnes pour ce faire ? Une seule pourra briser le momentum : *vous*. Vous seul pouvez vous affranchir des droits acquis, des positions érudites, afin de vivre selon ce que vous ressentez. Vous seul pouvez inventer votre intégrité future. En vous transformant vous-même, vous créez un environnement fertile au sein duquel les autres pourront évoluer et changer. Ceux qui réussissent à aligner leurs actions sur les valeurs qui leur tiennent à cœur sont des émissaires, des bâtisseurs de passerelle menant à un mode de vie intégral. Quiconque traverse cette passerelle ajoute au magnétisme de l'amour, de l'espoir et du courage qui fera passer le prochain voyageur.

Si vous n'êtes ni un émissaire ni un créateur de chemin, vous pouvez attendre les modèles et les moyens que vous présenteront d'autres personnes. Émissaire ou disciple : deux rôles égaux dans l'évolution collective. La prétention et la compétition ne feront que ralentir le processus. Chacun de vous est utile là où il se trouve.

Vous savez ce qui reste à faire. Créez de nouveaux systèmes pour protéger la vie, des structures fondées sur l'intégralisme, l'équité, l'honnêteté, sur le sens artistique, la compassion et le dévouement aux valeurs universelles. Implantez des mécanismes hautement fonctionnels pouvant assurer une nourriture propre, saine, produite selon les principes de la biodynamique. Mettez sur pied des ressources ayant trait à l'éducation des enfants et de la population, visant à l'éveil de la connaissance en eux et permettant l'unification de leur être à leur comportement. Substituez la découverte au dogme. Élevez vos petits avec une attention personnelle et sans les préparer aux dysfonctions sociales que sont la compétition et la détérioration de la nature. Passez plus de temps avec ceux qui vous sont chers et ayez plus de plaisir en leur compagnie, en demeurant indépendant de pensée, d'action et dans votre exploration. Instaurez des ressources multidimensionnelles en vue de l'autoguérison, de façon à préserver votre santé et votre joie de vivre.

Toutes ces choses sont *à votre portée*. Elles sont susceptibles d'assurer un environnement favorable à la transmutation qui permettra au processus transformationnel de se dérouler avec un minimum de chaos social et de difficultés personnelles. Ces choses n'ont pas encore été accomplies parce que trop peu de gens ont pris conscience que le paradigme gouvernant, avec ses systèmes sociaux compétitifs et ses conceptions mécaniques, est arbitraire et autorestrictif. Dans le passé, vous n'aviez pas la dynamique collective permettant de puiser à la centrale d'énergie disponible pour vous aligner en tant que collectif universel. Le moment est opportun, et un réseau efficace de coopératives visionnaires peut s'établir et activer une vaste population désorganisée qui est prête à recevoir de nouveaux modèles. Demandez-vous combien de gens de votre entourage passeraient au niveau supérieur, même au prix de sacrifices personnels, s'ils avaient accès à un modèle efficace ? Face à l'énergie accumulée à cette fin, nous de l'Univers savons que le processus est déjà en cours.

❦

En 1996, les résultats d'une enquête effectuée en 1994 furent publiés. Financée par l'Institut des sciences noétiques et l'Institut Fetzer, cette enquête donne une estimation conservatrice du volume de la population transformationnelle et identifie plusieurs des valeurs et des intérêts arborés par cette population.

Elle décrit ceux qui représentent les valeurs transformationnelles sous l'expression « créatifs culturels » et évalue que l'Amérique à elle seule compte 44 millions de créatifs culturels. Ces données ont été mises à jour en 1999. En cinq ans seulement, la population transformationnelle est passée de 44 millions à 55 millions, soit 26 % du peuple américain. Cette étude constitue un point de repère pour le monde entier. Elle donne à la population transformationnelle une position puissante sur le marché mondial depuis laquelle elle peut inciter à l'intégralisme la réa-

lité matérielle actuellement dominante – si seulement les indi-
vidus s'unissent et entreprennent une action collective. Plus
important encore, si cette étude incite la population transforma-
tionnelle à s'identifier comme collectif et à explorer l'influence
de son intégrité, la métamorphose de votre planète gagnera du
terrain de façon importante. [En 1998, le très renommé New
England Journal of Medicine évaluait à environ 40 % le
nombre d'Américains intéressés par les médecines alternatives.
NDE]

Peu importe l'intensité de leur ferveur ou leur degré de confiance, ceux qui mettront un terme à leur identification aux anciens principes avant qu'un monde nouveau soit chose faite se verront confrontés à des questions difficiles. Comment survivront-ils ? Comment leurs besoins seront-ils satisfaits ? Comment s'aligneront-ils sur ceux avec qui ils ont des affinités ? Comment partageront-ils les ressources de l'imagination et de l'ingéniosité pratique ? Il est facile de voir pourquoi plusieurs choisissent de ne pas effectuer les changements nécessaires pour se rendre hommage et exprimer ainsi l'intégrité de la Totalité de ce qui est.

En vous concertant, ceux d'entre vous qui sont doués d'une expertise dans leur domaine respectif peuvent établir des centres de leadership qui généreront l'information éducation-nelle nécessaire au remplacement de la pensée mécanique. Collectivement, vous possédez les capacités de concevoir et d'appliquer de nouveaux modèles indispensables aux fonc-tions sociales intégrales. Du moment que ces centres main-tiendront l'intégrité, vous aurez un accès immédiat aux êtres universels qui maîtrisent des disciplines équivalentes. Avec des ressources ainsi alignées, ces centres deviendront des lieux de collaboration universelle et serviront à la formation et à la dissémination de la connaissance universelle et de ses applications pratiques.

―∽∽―

Si notre invitation vous inspire à participer à un dialogue intercosmique, des êtres évolués de l'Univers vous seconde-ront dans l'ébauche de plans pratiques visant à la transfor-mation collective. Votre tâche consiste à chambarder les systèmes en place. Inutile de démanteler les structures et les organisations existantes pour recommencer à zéro. Elles ne sont pas mauvaises en soi. Il faut toutefois élever leur fonc-tion à un degré d'intégrité supérieur. À cette fin, votre tech-nologie entière doit devenir pleinement compatible, et l'information pourvue doit être mise à jour. Le langage ne peut plus être mécanique, compétitif, centré sur des considé-rations économiques. Toute cela est désuet. La compétition vous entraîne à ce qui n'est plus valable. Et l'économie est un système de valeurs totalement illusoire – même pris dans son contexte. Le nouveau langage est issu de l'énergie, de l'intégralisme, de l'amour, de la compassion. Les instru-ments de cette évolution sont présentement en développe-ment dans votre société. Quelques-uns peuvent déjà être mis en application. Toutefois, les droits acquis et la dynamique d'inertie font échouer la mise en place de certains de ces instruments.

―∽∽―

Plusieurs d'entre vous croient devoir évoluer au-delà de ce qu'ils sont présentement avant de pouvoir contribuer à la transformation du monde. Il n'en est pas ainsi. Chacun de vous a un endroit où l'illumination rayonne dans sa vie. Concentrez-vous sur ces points où se trouve votre illumina-tion. C'est là la base de croissance et de contribution la plus fertile. Tout ce qui n'est pas résolu ou qui demeure inconnu en vous apparaîtra éventuellement, là où vous vous situez par rapport à l'illumination, parce que ces aspects demandent à participer à cet ancrage sacré de l'être.

Il existe un nombre suffisant de gens qui, convaincus qu'une seule personne ne peut changer le monde, pourraient former une ronde autour de la Terre. Vous n'êtes pas qu'une personne. Vous êtes également une fréquence et une valeur qui imprègnent l'Univers. Si les choix que vous faites au quotidien et l'amour que vous propagez autour de vous correspondent à votre nature essentielle, vos actions auront des répercussions dépassant le spectre de votre perception. Elles influeront sur le mouvement de la Totalité de ce qui est. La plupart des gens ne croient pas avoir quelque importance parce qu'ils ne se perçoivent pas comme des participants indispensables à l'Univers.

L'étendue de votre expérience se limite à ce que vous voulez bien y inclure. Ce que vous n'intégrez pas se produira de toute manière, à l'extérieur de votre perception. Si vous vous définissez comme un être urbain, vous percevrez la ville communiquant avec vous. Si vous considérez que vous êtes un Nordique, vous vous identifierez à tout ce qui est septentrional. Si vous jugez être un habitant de la Terre, vous la percevrez. Et si vous vous voyez comme une partie de l'Univers, votre expérience englobera l'universel. En somme, le point de mire de votre identification deviendra la lentille qui filtrera le feed-back et l'évolution.

⁓⁓

Chaque processus est constitué d'un temps pour agir et d'un temps pour être. Si vous ne pouvez concevoir par quelle action apporter votre contribution, votre façon d'être dans le monde possède sans nul doute un impact égal. La transfor-

mation s'avère une mission comparable à celle du cycle du Soleil autour de la Terre. Avec chaque rotation, le collectif s'éveille encore une fois. Chaque jour exige de certains de faire, et des autres, d'être. Vos tâches vous apparaîtront clairement le moment venu. Tout comme le renforcement d'un barrage par des sacs de sable en cas d'inondation, la participation de chacun au passage des sacs est indispensable. Il est sans intérêt de savoir qui est la première ou la dernière personne en ligne, ou quelle place chacun y occupe. Ceux qui prêtent des bottes aux autres qui forment la chaîne possèdent une importance égale. Ne mesurez pas la valeur de votre participation à cette transformation à partir de votre niveau d'éducation, de votre opulence ou de votre aptitude au leadership. Votre valeur est intrinsèque. Votre présence au cœur du changement provoque le changement.

❦

Avec chaque expansion de votre être, chaque inclusion, chaque intégration d'un aspect que vous conceviez auparavant extérieur à votre amour ou à votre capacité, vous rapprochez le monde de son unité. Chaque fois que vous exprimez la vérité que vous tenez pour suprême et que vous permettez aux autres d'exprimer la leur, vous déplacez le monde. Tous les plans, tout l'argent du monde ne peuvent accomplir cela. Cette œuvre appartient à chacun et sert à tous. Il s'agit de réclamer de l'intégrité personnelle. Nul n'est mieux ou moins nanti que l'autre – certains se seront seulement davantage exercés.

❦

Vivez comme si le monde était déjà tel que vous le souhaiteriez. Il le sera.

❦

11. Pourquoi les gens éprouvent-ils tant de difficultés à réaliser leurs rêves ?

*L*es rêves sont tout aussi tangibles que vous-même et aussi changeables avec le temps. Dans le monde, nombreux sont ceux qui tentent de les concrétiser. Ils poursuivent une vision, travaillent à son accomplissement, sans pourtant sembler y arriver. Ils croient que tout cela nécessite le concours d'autrui – parfois même de tous. Ceux d'entre vous qui éprouvent cette frustration sont au seuil d'une opportunité unique de mettre leur hypothèse à l'épreuve. Le nouveau millénaire qui vient promet d'être une époque de changements personnels et planétaires phénoménale.

Afin de réaliser vos objectifs, il faut vivre pleinement le moment présent. Chaque instant recèle l'occasion d'y arriver. Si ce que l'instant vous offre ne correspond pas à votre attente, il comporte alors l'occasion de croissance conduisant à celle-ci.

Par exemple, vous souhaitez rencontrer l'homme ou la femme de vos rêves. Peut-être ferez-vous même appel à l'Univers pour que cette personne apparaisse dans votre vie. Il n'existe pas de raison s'opposant à ce que votre souhait soit comblé.

L'énergie gaspillée à désirer serait mieux employée à aimer. Vous vous accrochez à cette espérance, et jour après jour, la vie vous apporte tout, sauf sa réalisation. Vous pensez alors faire quelque chose de travers, mais tel n'est pas le cas.

Il ne serait pas utile que la personne idéale se présente dans votre vie avant que vous sachiez comment accepter son amour et comment offrir le vôtre pour que la relation s'épanouisse. La relation satisfaisante, aimante, que vous voulez vivre exige peut-être de votre part de faire d'abord certaines découvertes à votre sujet sur la communication ou sur la nature de la relation. Votre acceptation et votre intégration de ces découvertes sont peut-être les conditions de base menant à la réalisation de votre rêve. Et peut-être ces découvertes redéfiniront-elles la nature même de celui-ci.

Chose certaine, elles s'effectuent de façon unique pour chaque personne et chaque rêve. Jour après jour, les expériences qui préludent à l'accomplissement de votre rêve viendront à vous et rempliront l'espace de votre vie là où vous souhaitez le voir être. Éventuellement, en acceptant ces défis, l'opportunité qui se présente à vous *sera votre rêve*. Les choses semblent peut-être autrement, mais vous avez toujours à votre portée ce dont vous avez besoin. Il suffit d'être convaincu que le processus se déploie pour percevoir votre rêve en cours de réalisation.

Par ailleurs, outre le fait d'accepter ce que l'instant présent vous offre, il existe une autre manière de créer peu à peu tout cela. Aussi longtemps que vous imaginez votre rêve de l'extérieur, le magnétisme que vous dégagez en vue de le concrétiser demeure faible. Une telle approche équivaut à tenter de peindre au pistolet une murale d'images intensément colorées. Chaque fois que vous dirigez votre énergie vers un rêve, une quantité diffuse de peinture de rêve se répand dans la réalité. Éventuellement, d'une couche à l'autre, de grandes images s'accumulent et des éléments du rêve apparaissent peu à peu dans votre vie – cependant, l'imprécision du procédé ne s'avère pas très efficace.

Les pensées sont effectivement des choses tangibles. Les pensées et les intentions sont des formes de stimuli magnétiques auxquels l'énergie réagit (le magnétisme vibratoire sympathique). Ce principe de réaction est fondamental à l'énergie et sans considération de code éthique, de moralité ou de conscience (MVS). Si vous investissez continuellement votre énergie dans la production d'images associées à votre rêve, ces images prendront corps dans votre réalité. Cependant, elles ne seront pas nécessairement l'accomplissement de votre rêve.

La création d'un rêve depuis l'extérieur demande énormément de temps et d'énergie. Lorsqu'enfin celui-ci prend la forme d'une réalité bien dessinée et que vous l'habitez, peut-être constaterez-vous que votre création correspond à ce que vous imaginiez, mais que vécue de l'*intérieur*, elle n'est pas ce que vous souhaitiez. C'est souvent ce qui arrive au rêveur qui se tient à l'extérieur de son rêve, à l'écart de celui-ci, pour le créer. Pourquoi ne pas l'habiter dès le début ? Le fait d'habiter les valeurs de votre rêve avant de vous consacrer à sa manifestation vous donne le pouvoir nécessaire pour réaliser ce que vous recherchez vraiment.

~⁓~

Afin d'optimiser votre alignement en vue de la réalisation de votre rêve, traduisez les images de votre désir en valeurs et en sentiments, et ressentez ces valeurs et sentiments qui lui appartiennent.

Lors de la visualisation, de la contemplation ou de la méditation sur votre rêve, ou lorsque vous le partagez avec les autres, demandez-vous : Quelle partie de moi-même cherche à s'ex-

primer à travers tout cela ? Quels aspects de moi-même atteindront la réalisation ? Quelles valeurs aurai-je ainsi l'occasion d'explorer ? À quoi donnerai-je réalité ? Comment me sentirai-je lorsque j'habiterai ce rêve ? Comment vais-je évoluer ? Ces questions vous permettront d'identifier les valeurs sous-jacentes à votre désir. Ces valeurs, et non pas les images avec lesquelles vous les avez revêtues, sont celles que vous aspirez à posséder. Et le fait d'habiter ces valeurs est ce qui vous permet de les magnétiser à la réalité. Lorsque vous vous identifiez à elles et découvrez les sentiments qui émergent de la réalisation de votre rêve, vivez-les intensément chaque fois que vous visitez votre rêve. Ce faisant, vous générez un champ magnétique propice à sa réalisation qui est nettement plus puissant que le champ engendré par la visualisation du rêve depuis une distance émotionnelle.

La visualisation constitue un instrument puissant non pas par les images créées, mais par les valeurs et les sentiments qui vous animent par inadvertance en échafaudant les pensées et les images. Les objets et les images n'ont qu'un sens représentatif. Les pensées et les idées constituent les reflets de valeurs essentielles, et celles qui les inspirent sont universelles, éternelles et débordent du dynamisme de la manifestation.

Le fait d'identifier les valeurs et les sentiments d'un rêve n'est pas l'aspect le plus ardu de sa réalisation. Le défi consiste à *habiter* ces valeurs et ces sentiments. Pourquoi est-ce difficile ? Pour y arriver, il vous faut toucher votre doute, savoir si vous êtes vraiment prêt, connaître l'envergure de votre désir et décider s'il en vaut la peine. Il vous faudra accepter les défis et les sentiments que vous n'avez pas encore consenti à inclure. Si vous l'aviez fait, votre rêve se serait déjà concrétisé.

Durant ma jeunesse, je vivais en Arizona en ayant des ressources financières limitées. Ma petite maison au centre de la ville avait un certain charme. Pourtant, j'éprouvais un besoin inexplicable et impérieux de la quitter. Je me mis à imaginer le lieu où j'aimerais vivre. Je voyais un cottage comprenant deux chambres à coucher (dont l'une assez vaste pour contenir un très grand lit), une salle de séjour avec un coin travail, une cuisine douillette inondée de soleil et, à l'arrière, un jardin.

Je souhaitais un endroit calme, joyeux, niché dans la nature, isolé et comportant une chambre d'invité. Je ne savais pas à l'époque que j'étais en train de créer un environnement où explorer et épanouir mes dons de guérisseur – un travail auquel il est préférable de se livrer loin des yeux d'observateurs et entouré des rythmes d'un cadre naturel désert. Cet objectif élevé et ses valeurs inhérentes procurèrent les stimuli que j'interprétais comme une oasis de quiétude dans la nature.

Je discutai de ce rêve avec des amis dans l'espoir d'obtenir leur aide pour ma recherche, mais cette idée d'un cottage dans la nature les faisait rire. Le désert du Sud-Ouest américain abrite des *haciendas* [grande propriété foncière que l'on retrouve habituellement en Amérique latine, NDE], des auberges, des maisons de stuc, de petits ranchs – mais aucun cottage. Je décidai de recruter l'Univers, sans savoir où trouver la réponse. Le fait de rester à l'écoute impliquerait-il de lire toutes les annonces affichées en ville, jusqu'au babillard de la buanderie ? Dans ma contemplation avant de méditer, j'invitai l'Univers à employer les journaux comme mode de réponse et je pris l'habitude d'éplucher chaque jour les petites annonces.

Afin d'établir une meilleure connexion entre l'Univers et mon désir, je dansai chaque soir au son de la musique en laissant les sentiments liés à mon rêve s'élever en moi et m'inciter à les revendiquer. Après plusieurs soirées passées à cet exercice, des aspects inconnus de moi-même et des qualités nouvelles de l'être émergèrent. Cependant, je n'arrivais pas à les habiter pleinement. Un obstacle s'interposait, une résistance méconnue demeurait. Un éloignement de la ville me laisserait-il socialement isolée ? La vie dans le désert, en l'absence de voisins, présentait-elle des dangers ? Je crus être mise au défi de confronter mes doutes et mes craintes quant au fait de m'établir en dehors de la ville. Sans le savoir toutefois, j'étais surtout au défi de m'installer au-delà des frontières de la *réalité commune*. J'étais confrontée à des questions vitales plus profondes. Aurai-je le courage de quitter mes amis et notre mode de vie commun pour emprunter la voie plus singulière et intérieure d'un guérisseur ? Les frontières de l'inconnu comportent-elles un danger ?

Plusieurs semaines durant, deux fois par jour, je consultai les annonces, mais en vain. Puis, un jour, l'une d'entre elles attira mon attention. On y décrivait un cottage avec deux pièces. Cela me semblait trop petit, et au-dessus de mes moyens, mais par principe, je me devais d'y répondre et de satisfaire mon obligation envers l'Univers en visitant brièvement les lieux. Rien ne m'empêcherait par la suite de poursuivre ma quête.

Je passai donc un coup de fil pour en savoir davantage, et les propriétaires m'assurèrent qu'il fallait voir l'endroit pour pouvoir l'apprécier à sa juste valeur. Et ils disaient vrai ! Il n'y avait que deux pièces, mais l'une était immense avec des poutres impressionnantes, un foyer, des portes françaises, et un coin cuisine ensoleillé décoré de carreaux sur le plancher. Quant à l'autre, c'était une petite chambre à coucher entourée d'un jardin qui débouchait sur trente hectares de désert vierge. L'annonce ne faisait pas mention d'une petite véranda qui pouvait servir de chambre d'invité ou de bureau durant presque toute l'année. J'étais donc là, dans un lieu qui ne possédait qu'une seule chambre à coucher juste assez grande pour y inclure un lit double, pas de jardin bien démarqué – mais la certitude absolue que c'était bien le bon endroit. En me baladant d'une pièce à l'autre, je me sentis exactement comme lorsque je dansais le soir, vivant intérieurement mon rêve.

Au cours du processus entamé pour habiter un rêve, à mesure que vous approchez des sentiments et des potentiels profonds qui seraient accomplis par sa réalisation, il est possible de rencontrer de la résistance qui empêche le rêve de devenir réalité. Que cette résistance soit de nature personnelle ou collective, vous devez la dissoudre en vous afin de générer le magnétisme qui concrétisera votre rêve. Dans cette perspective, il vous faut éveiller de nouveau la souffrance et la déception que vous éprouviez lorsque vous aspiriez à ce rêve et ressentiez son absence. Celles-ci monopolisent peut-être votre volonté et votre sentiment de valeur propre, de sorte que votre énergie est détournée. Il n'existe pas de méthode rationnelle permettant d'éviter les difficultés qu'entraîne l'opposition. Même si vous les approchez tout doucement, il faudra les confronter avec la férocité du vainqueur. Cette action même de plonger au cœur de votre rêve transmutera l'énergie de votre résistance en un magnétisme propice à la réalisation du rêve.

Et si le problème ne provenait pas de vous ? Des limitations sociales peuvent contrecarrer l'achèvement de votre rêve. Vous risquez par exemple de vous buter à des restrictions considérables si vous souhaitez enseigner dans une école élémentaire, au sein d'un environnement spirituel, en compagnie d'enseignants des deux sexes, et gagner un salaire égal à celui d'un patron d'entreprise. Vous aurez certainement de la difficulté à vous convaincre qu'un tel rêve en vaut le coup. Et pourtant, il pourrait bien devenir réalité. En acceptant les limitations sociales, vous pouvez renoncer aux images et découvrir les valeurs. Une fois affranchies des images, les valeurs se présenteront à vous de façon différente en vue de l'accomplissement du rêve. Peut-être attirerez-vous une occasion d'enseigner dans une école élémentaire consacrée au service d'intérêts communautaires spéciaux. L'école comportera plus de professeurs féminins que masculins ; par contre, les parents de cette communauté participeront aux décisions sur un pied d'égalité avec les enseignants. La latitude de l'administration de l'école pourrait permettre à votre classe d'être au même niveau d'évolution que vous. La solidarité que démontrera la communauté vous procurera une richesse sur le plan émotif et fera en sorte de vous pourvoir en biens et services et de vous offrir des opportunités qui augmenteront votre salaire. Malgré des idées et des images différant des vôtres, cette opportunité comportera les valeurs propres à combler votre vision.

Le fait d'habiter les valeurs et les sentiments d'un rêve constitue un don important, car le processus même vous informe du pouvoir créatif de vos ressources intérieures. Inutile de vous demander si votre rêve se réalisera, ou *comment*, ou *quand*. Votre expérience intérieure vous révélera ce qu'il faut admettre afin de le concrétiser. Les exemples cités ci-haut illustrent des expériences individuelles. Cependant, la paix dans le monde, l'inviolabilité de l'environnement et l'éveil de l'humanité peuvent être atteints de la même manière.

12. Le Grand Univers comporte-t-il à la fois le bien et le mal ?

*I*maginez une réalité universelle libre de jugement et dont les pouvoirs et les potentiels ne soient pas intrinsèquement limités ou accentués par des notions de bien ou de mal. Que pensez-vous d'un univers dont les possibilités ne soient pas restreintes par quelque norme éthique ou par une conscience spirituelle préalable ? Cette description du pouvoir de l'Univers est semblable à l'électricité – également disponible pour tous ceux qui souhaitent l'employer à la création et pour d'autres, qui cherchent à tuer par elle.

L'intégrité universelle est inhérente à toute vie. De ce fait, il est superflu de protéger la vie contre elle-même dans n'importe laquelle de ses manifestations.

Il n'existe pas d'énergie négative. Tout concept de bien ou de mal, de positif ou de négatif, appartient aux environnements dualistes où il s'ébauche. Les idées négatives, ainsi que les comportements qui en découlent, reflètent des valeurs inverties ou désalignées. Elles n'émanent aucunement d'une source autre que des valeurs universelles et n'entrent pas en concurrence avec celles-ci.

Et si la « négativité » reposant aux confins de la conscience d'une personne n'était que leur inconscient en attente d'être dirigé par des stimuli vers les potentiels universels ? Et s'il n'existait aucune force négative indépendante ni aucun mal ? L'inversion, le désalignement et l'inconscience se situent dans les tolérances de l'Univers et sont inclus dans l'amour universel. Les actions qui vous briment sont-elles moins nuisibles si vous les dites mauvaises ou maléfiques ? Leur présence peut être atténuée par des lois, la dissuasion ou des sanctions issues des concepts sociaux de bien et de mal. Cependant, les violations émanent de la souffrance, de l'ignorance et des vicissitudes du développement de la personne ; elles ne découlent pas du mal.

L'énergie négative *est une énergie qui n'exprime pas sa nature universelle et qui n'est pas encore orientée vers ses potentiels tout aussi universels.*

L'énergie positive *est une énergie qui exprime sa nature universelle et qui est orientée vers ses potentiels tout aussi universels.*

Rien de ce qui appartient essentiellement à la nature universelle n'est dualité. Ce que les gens de la Terre pourraient considérer comme une force négative est perçu par les êtres universels comme de l'énergie ou une conscience qui n'est pas encore informée de son intégrité avec la Totalité de ce qui est. Lorsque l'énergie et la conscience qui la magnétise produisent des forces qui diminuent l'intégrité et l'amour dans le monde, elles expriment leur ignorance. La conscience négative est ignorance – volontairement ou en toute candeur. Qu'elle soit niée ou

*repérée, ceux qui perpétuent la négativité vivent dans la peur et
la souffrance.*

———— ⌒⌒ ————

Les valeurs universelles, si elles ne manifestent pas l'intégrité,
feront alors preuve de désalignement ou d'une inversion. Il
n'existe pas d'autre manifestation possible. Rien d'autre n'existe
que les valeurs universelles avec leurs rapports sans fin et leurs
potentiels voilés. Les concepts basés sur des valeurs inverties ou
mal conçues produisent ce que vous concevez comme le *mal* –
que ces concepts vous appartiennent en tant qu'être qui perçoit
ou qu'ils soient du domaine des choses que vous percevez. Vous
attribuez la négativité à une force intentionnellement maléfique.
Cependant, vos démons ne sont pas les identités universelles
responsables des problèmes. Ces derniers relèvent de votre per-
sonnification des troubles collectifs créés par votre innocence et
par votre ignorance. Dans cette optique, plutôt que de vous
blâmer, de vous diminuer et d'accuser les autres, lorsque vous
êtes confronté à la négativité, vous pouvez désormais l'admettre
comme un espace au cœur de l'infinie dynamique de rapports où
les valeurs universelles ne sont pas encore alignées.

Ce principe demeure valide, même devant les tendances destruc-
trices extrêmes dont fait preuve l'humanité. Ceux qui « appartiennent » à des bandes et se livrent à la violence ne sont pas
mauvais en soi. Leur conduite et le contexte dans lequel elle se
trouve sont erronés au départ, mais ils mettent tout en jeu afin
de faire l'expérience d'une seule valeur universelle : l'unité. Leur
comportement sous-entend : « Nous n'avons notre place nulle
part. » Et encore : « Nous cherchons à donner un sens à notre
vie, à créer des liens spirituels et à établir des rapports familiaux
solidaires qui protègent nos membres sans condition. » Puisque
leur environnement immédiat ne leur offre pas la protection, le
dévouement, la fiabilité et l'amour inconditionnel recherchés, les

chefs de bande tentent alors de légiférer et d'appliquer des valeurs universelles se rapportant à leur milieu. Cela est-il vraiment si différent d'un gouvernement qui met en application la notion d'égalité peu importent les convictions ou la couleur ? Les deux groupes aspirent à des valeurs universelles mais se situent à des amplitudes fréquentielles de conscience différentes. Les deux groupes exercent leur gouvernement par le contrôle et l'application de sanctions. La distinction réside dans l'admissibilité de leurs méthodes. N'importe-t-il pas simplement de savoir à quelle bande vous appartenez ?

Pour identifier précisément la voie menant à la paix mondiale et à l'intégrité, il vous faut entendre l'appel général à des valeurs universelles. Il est crucial de les reconnaître et d'en apprécier l'énergie, peu importent les formes sous lesquelles elles apparaissent, même lorsqu'elles émanent d'une dysfonction et de fausses conceptions. Ceux qui imprègnent de valeurs le chaos personnel ont, à leur insu, tout de même établi une racine dans le sol de l'intégrité. Il s'agit de les développer à l'endroit même où elles ont été ensemencées jusqu'à ce que vienne la saison propice à les transplanter en un endroit où la lumière est plus vaste.

Le fait d'être apte à reconnaître les intentions derrière des applications de valeurs erronées ou étranges nous aide à rétablir celles-ci. Si vous considérez comme maléfiques ces manifestations d'ignorance, la réaction instinctive vous dicte de les éliminer ou de les éviter. Toutefois, si vous reconnaissez que ce sont là des conceptions inexactes fondées sur l'absence d'une compréhension supérieure, votre réaction spontanée sera de vous impliquer et de faire ce qui est requis pour y remédier. Cette inclusion déclenche l'antidote.

Lorsque vous souffrez à cause d'actes d'ignorance d'autres personnes, nul degré de compréhension ou d'inclusion ne pourra remédier aux faits déjà accomplis. Toutefois, ils pourront instaurer un contexte régénérateur favorable à la guérison de la blessure.

Chacun fait de son mieux – non pas du mieux qu'il puisse imaginer, mais bien du mieux qu'il peut manifester de par son état d'être actuel, de par son expérience passée et en fonction de ce qu'il comprend de la vie et de l'amour. Il faut être limité dans sa vision des choses pour juger ceux qui sont dérangeants, ignorants, ou différents de soi. Leur ignorance n'est que plus flagrante, plus désagréable, moins légale ou moins socialement acceptable que la vôtre.

Les êtres universels ne formulent aucun jugement négatif ou positif. À leur niveau existent les conditions qu'on peut qualifier de négatives ou de positives, mais celles-ci s'inscrivent dans un continuum et non en opposition mutuelle. Elles sont en quelque sorte des points sur une spirale s'élevant naturellement vers l'intégrité. Au cinéma, les personnages et le déroulement de l'histoire retiennent votre attention. Vous ne vous arrêtez pas au contenu de chaque image comme s'il s'agissait d'une photographie. Si chaque séquence d'un film bien construit était figée, plusieurs images montreraient le héros ou l'héroïne la langue pendante, les yeux exorbités, et d'autres contorsions faciales. Ces images pourraient être jugées négatives ou de mauvaise qualité. Hors du contexte du continuum cinématographique, elles pourraient laisser croire que le film est raté et ne vaut pas la peine d'être vu.

Les êtres universels perçoivent sans effort cette continuité, une chose encore hors de portée de la majorité des êtres humains. Afin de savoir où chercher une perspective plus vaste et comment la percevoir, l'humanité devra répondre à maintes questions ayant trait à la nature de la réalité. Qu'est-ce qu'une vie ?

Où trouver sa raison d'être ? Qu'est-ce que le sentiment d'accomplissement ? Quel rapport entretiennent l'individu et le collectif ? Les réponses à ces questions nécessitent d'accomplir deux choses : contempler le sens et la possibilité d'une réalité non duelle et tenter de vous considérer vous-même ainsi que les autres sous l'angle de l'amour inconditionnel.

L'émancipation de la dualité entraîne la compréhension qu'il n'existe pas de force destructrice en soi. Seule l'énergie existe en une infinité de configurations, en un mouvement constant au travers de conditions d'ignorance et d'illumination, vers la réalisation de soi et l'intégrité universelle.

L'amour inconditionnel signifie qu'aucune situation ne peut atténuer la constance et la qualité de votre amour. Il ne s'agit pas ici de n'avoir aucune exigence en ce qui concerne les relations ni aucune liberté critique ou discriminante. L'amour inconditionnel permet la critique, l'insatisfaction, la colère et la déception, et rend apte à les exprimer honnêtement sans devenir accusateur. La compréhension qu'ont les humains de l'amour inconditionnel confond souvent le discernement avec le fait de passer des jugements et d'attribuer un blâme. Il n'est pas naturel d'attendre de vous-même ou des autres un tel amour. Le discernement est une caractéristique fondamentale de la conscience. Il s'épanouit en chacun de nous à mesure que nous approchons de l'illumination. Le jugement s'avère superflu : chaque action s'évalue ou se juge par elle-même. Il est inhérent à la qualité de chaque action, de chaque comportement et dans la manifestation de chaque être. Ce type de jugement voit plutôt de l'éloignement entre l'intention, l'action de l'instigateur et sa capacité d'intégrité à un moment précis. Il ne s'agit pas d'une évaluation critique subjective.

Cette description du jugement corrobore l'ancien concept du péché. Jadis, on définissait le péché comme le fait de « passer à côté de la vérité ». Ce n'était pas là un échec personnel ou un affront à Dieu. La conception de l'amour inconditionnel et du péché s'est désalignée par la confusion émanant de cette habitude de porter des jugements de ce genre. Dans le cadre universel, le jugement est vu en fonction du potentiel. Il n'est jamais accusateur. Personne ne peut, bien sûr, contrôler la manière dont l'autre reçoit le reflet ou le feed-back. Ceux qui n'ont pas goûté l'amour inconditionnel parce qu'ils ne s'en sentent pas dignes ou parce qu'ils sont intérieurement meurtris, percevront pour la plupart le feed-back comme critique ou accusateur.

L'amour inconditionnel est la passerelle qui vous élèvera au-dessus de la dualité qui scinde le bien et le mal. La vie incluant cette plénitude du cœur vous affranchit des enchevêtrements de l'émotion et libère votre énergie pour la consacrer aux résolutions et aux unifications en vous-même et en votre monde.

13. Nous arrive-t-il, dans le cosmos,

de tomber amoureux et de vivre

des histoires d'amour ?

*N*ous, du cosmos, tombons effectivement amoureux. L'état amoureux est ce qui nous fait d'abord pénétrer nos dimensions – tout comme Alice [au pays des merveilles] qui traversa le miroir. Le fait de tomber dans *l'état d'être l'amour* n'implique pas l'amour exclusif envers une personne. Il s'agit d'aimer tout – la Totalité de ce qui est.

Du fait d'atteindre *l'état d'amour*, nous qui participons à des communautés universelles plus illuminées ne pouvons nous empêcher de nous éprendre de chaque être avec qui nous entrons en rapport. Dans chaque relation intime, nous faisons tout de même l'expérience d'alignements et d'intensités de sentiment uniques à cette union. Ce que nous ressentons et notre façon de nous exprimer ressemblent parfois à ce que vous éprouvez et à vos expressions lorsque vous êtes amoureux. Malgré la similitude de nos réactions, celles-ci ne possèdent pas pour nous les mêmes significations ou implications. Nous connaissons l'expérience directe et l'expansion immédiate. Notre expérience est directe parce qu'il n'existe pas pour nous de séparation entre le conscient et le subconscient. Le fait de dissocier de votre expérience directe certains aspects de votre réalité exige une scission entre votre subconscient et votre conscient. Nous n'éprouvons aucun besoin de nous cacher quoi que ce soit sur le plan individuel ou collectif. Nous n'excluons aucune expérience ni aucune perception. Il n'y a aucun aspect de notre passé avec lequel nous réconcilier puisque nous sommes pleinement intégrés. Nous sommes présents à notre réalité et croyons qu'elle révèle la nature en expansion de la Totalité de ce qui est.

Pour nous, l'espace-temps est une option plutôt qu'une constante. Dès lors, il s'avère donc presque impossible qu'une relation amoureuse puisse nous limiter. Notre magnétisme individuel et notre multidimensionnalité garantissent que chacun continuera de jouir des dimensions de réalité personnelles et universelles au-delà de celles qui sont alignées entre nous. Du fait que nous ne maintenons pas un continuum temporel, l'instant présent ne définit pas forcément un temps futur. L'amour que partagent deux êtres dans une liaison ne mène donc pas à des comportements ou à des actions préétablis. Nous ne vivons pas ensemble. Aucunes fiançailles, aucun mariage ni divorce. Notre nature n'exclue pas les relations à vie, elle les appuie. Cependant, aucun statut ni aucune valeur ne leur est accordée qui ne le soit également à toutes nos relations. Notre amour partagé peut produire des combinaisons d'identité et de valeur qui activent des possibilités nouvelles en chacun de nous. Cela est même susceptible d'animer une constellation énergétique nouvelle – la naissance d'une fréquence/valeur autre ou d'une combinatoire fréquence/valeur inédite prenant la forme d'une progéniture.

La plus grande différence entre les amoureux universels et les amants humains réside dans le fait que nous, du cosmos, approchons l'intimité en vue de découvrir ce qui vit dans l'instant si nous n'y ajoutons rien. Nous ne substituons pas l'essence de l'instant avec ce que nous souhaiterions y trouver ou ce qui s'y trouvait dans un moment passé.

Ce qui attire un être vers un autre est de nature plus subtile et multidimensionnelle que ce que l'on imagine. La connexion apparente cache un alignement de variables uniques et invisibles. Il est possible de ressentir celles-ci mais, sur terre, vous n'admettez pas habituellement les dimensions invisibles qui vous attirent l'un à l'autre. Avant de consentir à habiter ces alignements uniques, vous limitez souvent leur potentiel en vous livrant à un type de relation familière ou souhaitée.

C'est là une situation commune entre les amants humains. Une fois l'attirance mutuellement identifiée, vous déclenchez vos projections, et les potentiels multidimensionnels se retirent de votre conscience. Vos projections deviennent rapidement l'axe sur lequel vous entretenez l'un l'autre votre affection. Si elles prévalent sur l'identité réelle de l'autre et sur les valeurs qu'il exprime, vous vous isolez des potentiels de la relation. Peut-être croyez-vous étreindre votre partenaire, mais vous étreignez en réalité vos projections.

L'énergie de l'alignement qui vous a rassemblés en premier lieu est ce qui infuse une telle profondeur instantanée ou un tel dynamisme dans la relation nouvelle. Des réminiscences de l'étreinte neutre de l'amour universel se réverbèrent dans chaque alignement. Il est naturel de se sentir magnétisé par celui-ci avec intensité et d'y répondre avec désir. Il est naturel aussi de chercher à ressentir cet amour là où vous vivez – dans votre corps, dans le monde – et non simplement dans la mémoire de l'âme. Ce qui donne si rapidement à l'affection physique cette qualité d'authenticité – lorsqu'il est improbable que vous vous connaissiez assez bien pour évoquer une telle réaction –, c'est votre désir naturel d'une réunification à la Totalité de ce qui est et votre familiarité étroite avec vos propres projections.

Mû par le dynamisme de la projection, il vous est possible de vous impliquer dans des sentiments *véritables,* mais alimentés par votre imagination – et souffrir du résultat de votre propre invention. D'un côté comme de l'autre, cette expérience est éprouvante : autant pour la personne qui invente l'illusion que pour la personne en train d'être inventée. Il s'agit du déplacement d'un puissant moteur spirituel : dans une tentative de satisfaire votre désir d'unification en votre être, vous fusionnez avec l'autre sur lequel vous avez projeté les constructions qui résoudraient vos sentiments d'incomplétude et de dissociation.

Si vous entrez en rapport avec l'identité potentielle d'une personne qui ne se consacre pas à la manifester, vous aimez alors quelqu'un qui n'existe pas. Le fait d'aimer le potentiel de l'autre plutôt que d'aimer ce qu'il est en réalité ne produira pas l'égalité alimentant une liaison amoureuse. Vous risquez de vous buter tôt ou tard à la frustration et à la souffrance parce que la personne que vous aimez et en qui vous croyez si profondément ne répond pas à vos attentes. En vérité, elle n'y a jamais répondu – elle n'existe que dans votre projection de son potentiel. Par ailleurs, votre partenaire sentira que vous n'êtes pas satisfait, que vous n'êtes pas présent, que vous ne l'appréciez pas ou que vous n'êtes pas amoureux. Et pour cause. Vous tolérez ce qu'est présentement votre bien-aimé, tout en espérant que votre vision de lui se manifeste.

Il n'est pas nécessaire de vous libérer de la Terre pour vous affranchir de ces pièges. Il faut simplement aimer les autres tels qu'ils sont et construire vos relations à partir de ce qui est présent et de ce qui est possible. Une telle attitude implique de reconnaître et de soutenir toute valeur qui transparaît dans la personnalité et le comportement de ceux que vous aimez. Si le potentiel est sur le point d'émerger, cet environnement positif favorisera son apparition. Exiger des gens qu'ils manifestent des valeurs qui n'émanent pas de l'intérieur ne produira, au mieux, que des changements comportementaux. L'évolution intégrale sous-entend une motivation intégrale. Nombreux sont ceux qui présument que l'amour pourra éventuellement faire fleurir le potentiel de l'autre et qu'ils pourront ainsi aimer le partenaire dans son identité potentielle manifestée. Cela ne s'avère vrai que si l'autre initie l'épanouissement de soi. Celui qui ne déclenche pas lui-même la réalisation de soi ne trouvera pas les ressources pour appuyer le processus. Votre amour constitue un appui essentiel. Votre vie et les croyances qui en découlent fournissent un stimulus d'ordre magnétique, mais vous ne pouvez provoquer l'éveil de l'autre. Chaque être est nanti du droit immanent de découvrir et de déployer son potentiel à son heure et en accord avec son propre plan.

Les gens qui n'aspirent pas à exprimer des valeurs universelles ont un comportement soumis aux conditionnements passés plutôt qu'issu de leur nature essentielle. Leur comportement relève de la *réaction* plutôt que de la réponse consciente. Si l'intégrité n'est pas la force motivant la croissance, les changements de comportement ne viseront que l'obtention du succès plutôt que la réalisation de soi.

Bien que tous les systèmes de réalité soient fondés sur les mêmes valeurs universelles, leur hiérarchie de valeurs diffère. Dans notre système de réalité cosmique, nous accordons aux valeurs une priorité différente de la vôtre sur terre, nos vies n'étant pas basées sur les mêmes idées. Ainsi, nos rapports amoureux ne sont pas comme les vôtres. Nos actions ne requièrent aucune justification. Nous agissons parce que nous en sentons l'impulsion, parce que le geste semble opportun et qu'il est l'expression de qui nous sommes. Nous ne demandons pas aux autres ce qu'ils font et pourquoi ils le font. Tout cela est flagrant. Et tous peuvent le percevoir. Par contre, la motivation relève souvent d'une multidimensionnalité telle que de l'expliquer pleinement nécessiterait une description complète de la réalité de la personne. La raison prendrait ainsi tout son sens. Puisque l'appréciation de cet aspect constitue déjà un acquis dans notre réalité, nous ne cherchons pas les explications. Notre intégrité individuelle et collective nous permet de vivre au sein de notre expérience sans besoin d'en examiner le contenu. Tout apparaît précisément tel quel. Nous ne sommes pas distanciés de notre connaissance par l'illusion des choses ou par celles qui donnent l'apparence d'être.

Parce que nous savons déjà que chaque être possède l'intégrité, nous n'avons aucun besoin d'analyses ou d'évaluations mutuelles en vue de développer la confiance et d'établir une compréhension. Chacun de nous s'autogouverne avec une intégrité telle que nous n'examinons ni ne critiquons les choix des autres, à moins de participer à une découverte. S'il y a accord de collaboration, notre feed-back mutuel n'est pas inhibé par les exigences de la bienséance ou par des considérations touchant notre vulnérabilité. Le fait d'être présents et complètement candides fait de la vulnérabilité notre état naturel. En vérité, celle-ci nous permet d'être perpétuellement réceptifs à l'intuition. Nous sommes en constant état de semi-perméabilité. Nous répondons à tout ce qui nous stimule, pour finalement l'inclure tout en nous épanouissant. Nous nous informons constamment, nous nous enrichissons et nous inspirons mutuellement sans être concernés par les mécanismes du processus. Nous nous sentons suffisamment en confiance l'un avec l'autre pour vivre sans avoir à prendre note de nos liaisons suivant un mode linéaire ou analytique. Du coup, nous profitons d'une immense liberté émotive et créatrice.

Afin de connaître le contenu intime d'où émane l'expression de l'autre, nous n'avons qu'à l'inviter à une fusion, à une magnifique expérience d'union mentale, émotionnelle et sensuelle. Voilà l'une des nombreuses manières de faire l'amour dans notre dimension. En nous unissant avec la réalité personnelle d'un autre être, notre intention mutuelle détermine le degré de notre expérience, soit observer le contenu de la vie de l'autre, le connaître du point de vue conceptuel, l'éprouver, ou encore, en faire l'expérience comme si nous le vivions. À ce niveau fort complexe, notre unité avec celui avec qui nous avons fusionné est telle que notre expérience est identique à la sienne, sans aucun point de vue indépendant. C'est seulement au retour à notre identité propre, au terme de la fusion, que le contenu et les sentiments appartenant à la vie de l'autre redeviennent distincts des nôtres et reprennent leur caractère relatif.

Plusieurs personnes de votre monde dont la sensibilité s'est affinée acquièrent une telle faculté de connexion. L'évolution naturelle de cette capacité indique qu'elles possèdent le discernement nécessaire pour abdiquer leur individuation un certain temps et la récupérer ensuite. Ces personnes génèrent des stimuli qui éveillent les autres à leur potentiel de fusion. Elles offrent également un champ magnétique ancré qui favorise l'union et constitue un groupe d'entraide basé sur l'énergie.

Outre cette évolution naturelle des facultés de communication vers une capacité de fusion, vous avez aussi un pourcentage important de votre population qui, en raison de blessures infligées au cours de l'enfance, a vécu diverses expériences de fusion sans être consciente du processus. Les déchirures subies par ces gens font partie de la dynamique de votre réalité locale et temporelle. L'identité saine de chacune d'elles est conservée et reste accessible à jamais sur le plan universel, ou le plan de l'âme. Ces individus peuvent convertir les limites floues de la fusion involontaire en de douces passerelles d'union consciente et être aptes désormais à accéder aux ressources curatives de leur âme. Au fil de ce processus, ils rétabliront leur bien-être et procureront au collectif humain des stimuli visant à sa propre guérison.

Malheureusement, dans le corps médical actuel, peu d'intervenants savent saisir cette opportunité. Plusieurs thérapeutes jugent que cette fusion équivaut à une perte de frontières – ce qui est perçu comme un résultat peu souhaitable et non comme une transcendance de ces bornes et une ressource universelle. Le patient participant à une démarche thérapeutique se doit d'évaluer ses croyances profondes. La remise en question de celles-ci ne laisse souvent que peu ou pas de bases saines sur lesquelles s'appuyer. Pour ceux que la fusion permet d'entrer en relation intime avec les autres, il s'avère désastreux qu'ils soient privés de ce mode de relation et forcés de renoncer à cette intimité. Cette structure supérieure, la faculté de se fondre avec autrui, peut constituer une ressource de santé en soi et une reprise de pouvoir au cours d'une remise en question de ses convictions personnelles.

Même si l'entrée dans l'état de fusion et la sortie exigent une certaine maîtrise, il est facile d'apprendre à discerner le moment où se produit une telle unification. Si le thérapeute sait comment diriger cette faculté vers l'âme, le patient découvrira un guérisseur intérieur et, de cette expérience, jailliront une reconnaissance de sa propre valeur et un nouvel état d'être sacré. Une fois ceci rétabli, la guérison des expériences passées s'effectue spontanément (grâce au magnétisme vibratoire sympathique) et sert d'appui au travail de l'intervenant. C'est là un cas d'alchimie thérapeutique.

La capacité de transcender les limites représente pour tous une occasion exceptionnelle de faire l'expérience de ce que vit une

autre personne. Cette définition des frontières en termes de pro-
tection et comme moyen d'écarter ce qui est indésirable repré-
sente une fausse conception entretenue par votre culture
actuelle. Grâce aux choix résultant d'une réaction sincère à
votre nature, une forme de frontière existerait naturellement par
rapport à tout ce que vous incluez... jusqu'à ce que votre évo-
lution vous permette d'inclure la Totalité de ce qui est. Alors,
les frontières perdront leur sens.

La fenêtre sur d'autres dimensions est ouverte. Nous anticipons avec joie le moment de tomber amoureux de vous.

14. Comment l'humanité peut-elle

libérer ses enfants des patterns du passé ?

fin de libérer vos enfants des schémas contraignants du passé, aidez-les à demeurer alignés sur les valeurs universelles. L'intégrité, l'amour, la compassion et la créativité constituent un excellent départ dans la vie. Aimez les enfants inconditionnellement et à profusion. Reconsidérez les valeurs de votre vie afin d'y inclure en priorité la disponibilité à répondre aux vibrations diverses qu'ils émettent. Le fait de répliquer aux stimuli que diffusent vos enfants équivaut à répondre à votre propre direction intérieure. Essentiellement, leur pureté et leur allégresse sont votre guide intérieur, et leurs stimuli présentent les meilleures occasions de reconstituer la Totalité de votre propre identité.

◦◦◦

Ne précipitez pas vos enfants au cœur des rythmes mondains ; ne les occupez pas à d'incessantes activités. Lorsque vous formez un jeune enfant à la société telle qu'elle est présentement, ses instincts menant à une communauté plus illuminée, plus saine, sont brimés. La société est une synthèse. Chaque enfant doit incarner sa propre thèse avant d'être prêt à la synthèse.

Si vous poussez vos enfants à la socialisation avant que leur réelle identité ne s'exprime, peut-être produirez-vous des gagnants ou des négociateurs réussissant pleinement dans le cadre de votre modèle compétitif, cependant vous modifierez sérieusement leurs potentiels et restreindrez leur mode de connaissance directe – du moins momentanément.

Souvenez-vous ! chaque être constelle l'univers à sa manière. Si vous imposez un processus dans le développement naturel de leur identité, vous bouleverserez le magnétisme responsable de la création de la vie qui leur appartient véritablement. Cette contrainte éloigne vos enfants de leur plus grande ressource, soit l'accomplissement. Jusqu'à ce qu'ils aient atteint l'âge où ils pourront s'y retrouver dans les méandres du conditionnement imposé et ainsi reconstituer leur identité en réponse aux stimuli essentiels de leur âme, ils sentiront fort probablement un grand vide dans leur existence ou se croiront tombés sur la mauvaise planète.

Vous-même attestez de ce fait. Dans la conjoncture actuelle des paradigmes anciens et nouveaux, ceux qui se sont éveillés s'efforcent de se déprogrammer de la formation reçue dans leur enfance et infligée par la société. Diverses formes d'autoguérison apparaissent afin de permettre à votre population la récupération individuelle et collective de l'âme.

Les enfants qui évoluent dans un environnement tendre et conscient, où la communication et l'expérience vibrent par les renforcements des amplitudes fréquentielles et des valeurs élevées, n'auront pas besoin d'être socialisés intentionnellement. Ils feront face au monde en intégrant leur corps, leur mental et leur esprit. L'amour, l'égalité, le partage, le respect, l'équité, la bienveillance, la compassion et l'interdépendance appartiennent de façon immanente à cette intégration. La socialisation sert de métaphore à cet état naturel. Elle s'avère nécessaire parce que très peu d'enfants sont éduqués de manière à préserver l'unité de leur identité.

Il est impératif pour l'avenir de l'humanité d'inciter la valeur unique de chaque enfant à se manifester sans imposer sur ses jeunes années des attentes compétitives influant sur son développement.

Vos scientifiques et vos sociologues ont découvert récemment que vos tout-petits montrent d'exceptionnelles aptitudes pour apprendre. Voilà qui est exact. Pourquoi monopoliser ces talents extraordinaires avec le contenu ordinaire de votre structure scolaire ? L'éducation traditionnelle appartient à votre civilisation et fera partie de leur bagage au moment opportun. Les premières capacités d'apprentissage de vos enfants sont immenses précisément parce qu'elles précèdent l'imposition des constructions mentales de votre société. Jusqu'à ce que ces ressources soient remaniées par les patterns sociaux ou orientées ailleurs, elles permettent à chaque enfant de continuer à ajuster sa fréquence/valeur pour la réalisation de soi dans le monde en s'impliquant dans des stimuli multidimensionnels rarement perçus dans le monde. Pourquoi harnacher les profonds potentiels d'un enfant d'âge préscolaire pour les consacrer au système que vous avez créé ? Les vastes facultés d'apprentissage d'un enfant au stade prénatal ou préscolaire ne sont pas requises à ces fins. Ces enfants qui sont attirés par la lecture, les mathématiques et les langues pendant leurs premières années vous feront savoir qu'ils souhaitent ces stimuli et s'y exerceront par jeu.

D'après des études scientifiques, les schémas de votre cerveau changent, et d'exceptionnels potentiels d'apprentissage diminuent lorsque les enfants atteignent l'âge de trois ou quatre ans. Ces premières années représentent une fenêtre biologique d'opportunité. Des études rapportent comment ces potentiels se restreignent, mais sans dire pourquoi. Cette diminution se produit parce que les enfants s'ajustent peu à peu aux stimuli et aux amplitudes locaux limités qui s'offrent à eux. Dès l'âge de trois ou quatre ans, la conscience multidimensionnelle d'un enfant n'a aucune place dans le monde. Elle se confine au jeu créatif et à la fantaisie, et ne reçoit que peu ou pas de renforcement ou de stimulation de l'entourage proche – parents, famille, communauté. Devant leurs vaines tentatives de communication avec le monde par le biais du langage primaire non verbal que constituent les stimuli et les réponses vibratoires, les enfants s'adaptent à leur langue maternelle et se mettent à fonctionner avec les constructions mentales du milieu.

L'avenir de l'humanité serait plus lumineux si vous pouviez refouler les dysfonctions du monde – la compétition, la précipitation, l'activité excessive, la prééminence monétaire –, les éloigner de la conscience de vos enfants jusqu'à ce qu'ils aient atteint l'âge de sept ans. Même si vous ne pouvez les protéger d'une telle intrusion que jusqu'à l'âge de cinq ans, l'impact illuminateur sur l'avenir du monde sera considérable. Les tentatives pour préparer les enfants d'âge préscolaire au monde qui les attend en les exposant à des histoires « réalistes » ne leur sont pas utiles. De même, les tentatives pour en faire les redresseurs des torts du monde ne leur rendent pas service. Il existe des moyens plus adéquats pour leur apprentissage personnel et social.

Au lieu de donner aux jeunes enfants un exutoire leur permettant de se débarrasser de leurs craintes et de leurs difficultés par rapport au monde, une exposition prématurée à la cruauté humaine – telle que représentée dans les contes de fées des frères Grimm et d'autres encore – les introduit plutôt aux terreurs et aux dysfonctions du monde. Les philosophes et les psychologues qui maintiennent le point de vue opposé perçoivent l'identité comme découlant de la psyché humanisée plutôt que d'une âme universelle. Même les philosophies éducationnelles harmonisées avec un point de vue universel s'accompagnent de contes décrivant des actions inhumaines, la manipulation et la violence, et appuyant la croyance selon laquelle ces histoires nantissent les enfants de pouvoir par leur identification aux personnages qui rencontrent et vainquent l'adversité. Si tel était le cas, pourquoi tant d'enfants font-ils des cauchemars et développent-ils de nouvelles peurs après avoir entendu *Hänsel et Gretel*, *Le Petit Chaperon rouge*, et d'autres contes semblables ? Lorsque les enfants sont exposés trop tôt à ce type d'histoires, celles-ci les attirent à la dualité de votre monde et instaurent les mécanismes de confrontation intérieure et de désensibilisation qui les éloignent de leur phare directeur les destinant à une vie pleine d'amour et d'intégrité. Les enfants et leurs schèmes directeurs intérieurs portent les stimuli pour la guérison de votre planète. Ces plans ne doivent pas être ensevelis avant que vos enfants puissent les lire.

Les conditions autorestrictives dans lesquelles vit présentement l'humanité sont essentiellement transitoires, mais elles sont depuis si longtemps assimilées au comportement humain qu'elles sont devenues intrinsèques à l'incarnation humaine. Même dans les circonstances les plus favorables, les enfants naissent rarement en ce monde libres du voile limitatif de l'hérédité collective. Dès le moment de la naissance, le corps émotionnel et psychologique de chaque nourrisson comporte les patterns de l'habitude collective, sélectionnés par le magnétisme familial en des caractéristiques latentes ou dominantes. De quatre à sept ans, l'environnement et l'expérience d'un enfant peuvent réorganiser les patterns de dominance et de latence des caractéristiques familiales et collectives.

Au stade du nourrisson et dans la petite enfance, les constructions comportementales sont malléables, et le conditionnement peut se libérer de ces configurations innées. La plupart des enfants sont cependant éduqués par ceux qui leur ont génétiquement transmis ces habitudes émotionnelles et psychologiques. Si les parents n'ont pas reconnu et guéri ces patterns en eux, leur comportement influera généralement sur leurs enfants. L'effet se produit aussi bien sous l'influence des aspects positifs de la famille que de ses schémas autorestrictifs. Lorsqu'une guérison de ces schémas s'opère, le processus de régénération cellulaire nécessite de quatre à sept ans pour former un nouveau corps cellulaire complet qui fonctionne dans une condition saine. Si un enfant est conçu après que le corps du parent a généré l'intégrité cellulaire appartenant à cette condition saine, le modèle autorestrictif ne sera pas transmis aux descendants comme une dominante.

Idéalement, l'expérience sociale des enfants et de leurs parents serait libre des stimuli dualistes ou autorestrictifs, et les patterns collectifs habituels se résorberaient jusqu'à une éventuelle extinction. Cependant, dans la plupart des cas, les stimuli comportementaux établis avant la naissance et dans les quatre premières années de la vie façonneront pour la vie entière les schémas du comportement de l'enfant. Dans la mesure où les stimuli de l'environnement familial sont harmonisés au point de vue universel, cette période de formation peut être prolongée. La modulation des dominances et des latences du comportement peut se prolonger jusqu'à l'âge de sept ans dans des environnements hautement harmonisés où les enfants n'ont pas été trop fortement dirigés ou incités à se conformer aux dysfonctions sociales.

Les structures comportementales de la famille transmises aux enfants proviennent également des deux parents et s'installent dans leur descendance au moment de la conception. Le père n'est pas le participant passif qu'on croit généralement. Ses amplitudes fréquentielles modèlent et influencent la conduite de sa progéniture dès le moment de la conception, peu importe sa proximité physique ou le degré d'interaction avec la mère et l'enfant.

Si ceux qui éduquent un enfant sont capables de reconnaître les attitudes autorestrictives lorsqu'elles se manifestent dans la petite enfance, ils peuvent en libérer l'enfant en usant d'une attention consciente. Lorsqu'ils travaillent à éliminer les patterns comportementaux génétiques, les stimuli interpersonnels de l'enfant s'avèrent primordiaux. C'est là le moment où le besoin qu'a l'enfant d'une attention personnelle et tendre est à son maximum. Celui qui fournit cette attention doit être libre des modèles et des attentes quant à ce que l'enfant devrait faire ou à la nécessité qu'il ressemble aux autres.

Les troubles de l'alimentation illustrent bien le comportement individuel qui découle d'un *patterning* héréditaire collectif. Lorsque les parents et les principaux responsables rejettent un enfant au lieu de le chérir, un comportement réactif s'établit par rapport à la nourriture. Après plusieurs générations de ces stimuli et de leurs réactions, une structure générale héréditaire propre à l'humanité est instaurée qui pourra devenir manifeste en n'importe quel enfant sous forme de troubles de l'alimentation.

Les tout-petits ont besoin de faire l'expérience de la nourriture comme provenant de l'intérieur d'eux-mêmes, de l'intérieur de ceux qui en sont responsables et de celui des cycles de la vie humaine. Durant l'allaitement ou l'alimentation au biberon – lorsque l'allaitement au sein est impossible –, le bébé doit être étreint tout près de la poitrine pour sentir les battements de votre cœur. Une telle pratique l'harmonise aux rythmes de l'état humain et de l'alimentation humaine. Seul avec sa bouteille dans son berceau, son parc ou sa poussette, le bébé se déconcentre de son but premier, soit celui de se nourrir. Au lieu de le placer au cœur des rythmes et des sensations de l'incarnation, il catégorise la nourriture à des contextes extérieurs. Si un bébé n'est pas allaité ou serré près du cœur jusqu'à ce qu'il ait terminé de boire, peut-être renforcez-vous un pattern de rejet hérité ou stimulez-vous sa composante comportementale. Il pourrait en résulter des problèmes physiologiques et des perturbations émotives liés à l'alimentation et au boire. Si cela devait se manifester, le fait de prendre votre bébé ou votre tout-petit tendrement sur vos genoux au moment des repas, pendant une année ou deux – sans le forcer à manger –, devrait normalement guérir un rejet de nourriture génétiquement transmis.

C'est nuire grandement aux petits que de se laisser aller à cette pratique populaire qui consiste à les distraire lorsque leur attention se porte ailleurs et que cela ne vous convient pas. Cela peut engendrer l'inattention, la perte de concentration, la curiosité non assouvie, les émotions introverties et les doutes au moment de choisir leur voie. Au lieu de détourner leur attention, il faut simplifier leur environnement pour que tout ce qui leur procure des stimuli puisse être inclus dans leur expérience et ainsi y répondre sans réserve. Ceci renforcera leur confiance dans ce qu'on appelle *l'expérience de la vie* et ainsi permettra l'enlacement de la *Totalité de ce qui est* pour leur bénéfice et celui de l'humanité entière.

À mesure qu'évolue la transformation planétaire vers sa transmutation, les degrés d'amplitudes inférieures qui maintiennent vos patterns dysfonctionnels locaux seront subjugués par une bande de vibrations supérieures. Heureusement, le plan matériel ou physique d'un enfant représente son niveau le plus temporaire. L'histoire génétique influence fortement le comportement. Cependant, elle n'est qu'un détail pour l'être qui s'incarne sous forme d'un enfant. La fréquence/valeur de cet être ainsi que les objectifs de son incarnation appartiennent plus essentiellement à la nature de l'être ; ils apparaîtront et prédomineront lorsque l'occasion se présentera.

Peu d'adultes sur votre planète goûteraient l'*invisible* et le *non réalisé* si ce n'était de la présence des enfants et de leur enthousiasme pour la réalité invisible. La beauté qui émane des enfants lorsque l'invisible emplit leurs yeux d'une étincelle consciente et sous l'effet de stimuli qui font éclater leur être jusqu'à l'émerveillement a toujours été appréciée par plusieurs d'entre vous. Elle ranime, au cœur des adultes, le désir de faire du monde un lieu où les rêves des enfants se verront réalisés. Elle rappelle aux grands, pour un instant fugace, qu'ils ont passé cette entente tacite d'ignorer leurs rêves et de se conformer aux notions établies d'après ce qui est réel et ce qui est important.

Plusieurs générations d'êtres humains qui ont fermé la porte à la magie dans leur vie continuent de lire et de raconter des histoires féeriques à leurs enfants. C'est là l'une des expériences que partagent le plus fréquemment les enfants au cours de leur développement. Peu de valeurs dans l'éducation des enfants ont une telle envergure inclusive et interculturelle. Il est clair que vous considérez que les potentiels surnaturels de l'Univers sont importants. En cela, vous démontrez une grande sagesse.

Malheureusement, vient un temps où, en tant que parents, vous devez avouer à vos enfants la réalité telle que vous la connaissez. Dans votre crainte que la pensée magique inhibe leur développement pratique, qu'elle entraîne des déceptions ou provoque une inaptitude à s'adapter à une beauté moindre, vous les formez à renoncer à la multidimensionnalité, au profit d'une réalité plus terre à terre. Cela assure inévitablement à votre monde un avenir semblable.

Ce cycle d'autorestriction se répétera jusqu'à ce qu'une génération entière de parents refuse de vendre de vains espoirs à sa progéniture et récupère les histoires magiques en trouvant le courage d'en faire une réalité. D'ici là, les enfants et une population disséminée de gens inspirés, détenteurs de baguettes magiques, protègent les merveilles possibilités du monde surnaturel. Ils préservent en fait le fondement abondamment fertile du prochain cycle transformateur de l'humanité.

15. L'humanité peut-elle nourrir une vision commune ?

*L*a probabilité que l'humanité partage une vision commune dépasse la simple possibilité théorique. C'est déjà chose faite. Votre planète, la Terre, n'aurait pas pu venir à l'existence si ce n'était de tous ceux qui formulèrent sa réalité à partir d'une vision commune lors de sa conception.

⁓⁓

Un système de réalité naît de la conception partagée par un collectif de valeurs universelles n'ayant aucun environnement existant pour sa réalisation.

⁓⁓

Lorsqu'une vision collective ne possède aucun « lieu » où se réaliser, le collectif et la vision peuvent le créer. L'énergie et/ou la masse requises afin de produire le contexte désiré s'accumuleront naturellement par les processus d'alignement et de fusion constituant la dynamique de la création. Le contexte créé collectivement sera une planète, une étoile, ou une dimension nouvelle liée à une planète ou à une étoile existant déjà. Le phénomène de création d'un contexte à partir de ressources collectives n'est pas différent ni plus ni moins divin que le phénomène de création d'un enfant grâce à l'union des corps physiques.

Chaque contexte de réalité dans l'Univers exprime l'ensemble des fréquences et des valeurs, dont les patterns d'alignement et de relations mutuelles diffèrent de tout autre. Les fréquences et valeurs axiales des êtres qui conçoivent un contexte sont intrinsèquement essentielles à la situation créée. Toutes les autres fréquences et valeurs se constelleront autour de ces valeurs initiales, en des patterns qui, ultimement, exprimeront la nature de ce contexte. Voilà ce qui donne un caractère unique à chaque environnement – la « Mère nature » propre à chaque contexte. Les arbres, les rivières, les minéraux, les gaz, les animaux et la vie marine ne sont que quelques-unes des manifestations qui survinrent lorsque le pattern de la Terre fut élaboré depuis une intention collective.

Une fois qu'un collectif a produit un environnement propre à incarner sa conception, les participants de ce collectif doivent être capables de l'habiter sous forme d'identités individuelles. Les corps et les formes qu'ils créent à cet effet exprimeront la même configuration de fréquences et de valeurs qui caractérisent ce contexte. Les formes suivent la fonction du contexte.

Le contexte, ou environnement, d'un système de réalité reflète l'identité collective de ses créateurs ; il est orienté vers un objectif commun.

Le contenu d'un système de réalité reflète les identités qui formaient le collectif et leur liberté en tant que créateurs individuels dans cette concordance commune.

Les fréquences et les valeurs incarnées en ceux-là mêmes qui donnent naissance à un environnement sont indispensables afin de sustenter la vie de cet environnement. Chaque créateur contribue à l'ensemble de la vie du système. On fera appel à l'état essentiel de chacun pour appuyer ou réaligner le système de réalité si cela s'avère nécessaire. La création d'un contexte nouveau peut signifier une infinie responsabilité.

◦◦

Lorsque des êtres créent un environnement nouveau pour ensuite l'habiter, le processus ressemble à la construction de la maison idéale. D'abord, une idée ou une nécessité vous inspire, puis vous sentez le besoin impérieux de la réaliser. Le processus évolue, et vous continuez de reformuler votre plan conformément aux possibilités et aux contraintes que vous n'aviez pas envisagées. Vous ne ferez pas l'expérience de la gestalt de vos rêves, de vos idées et de vos choix jusqu'à ce que vous habitiez la maison. Dès lors, vous saurez vraiment ce que signifie être créateur de sa propre réalité – comment elle opère, l'impact de vos choix, les reflets de votre nature sous des modes que vous n'aviez pas anticipés. La vie sous votre nouveau toit vous apprendra comment l'environnement créé par vous génère à son tour votre expérience. Une autre dimension s'ajoute dorénavant à la création de votre propre réalité.

Chaque conception requiert pour son accomplissement une hiérarchie de valeurs différente. Imaginez que vous élaboriez un plan pour d'importantes découvertes sur la nature des sexes masculin/féminin. La réalisation de ce plan exige de connaître simultanément une vie entière en tant qu'homme et une autre en tant que femme, en toute conscience des deux expériences. La Terre semble offrir un contexte adéquat pour l'exploration de ce potentiel particulier. Si l'Univers ne contenait aucun système de réalité dont les variables soient compatibles avec votre objectif, ce potentiel de réalisation de soi demeurerait inaccessible. Le fait de limiter le potentiel est inconciliable avec la nature fondamentalement créatrice de l'Univers. Toute énergie possède la capacité d'attirer à elle ce qu'exigent la transformation et la réalisation. C'est là la nature du magnétisme vibratoire sympathique. Il s'agit d'un principe englobant tout.

Il peut exister, au-delà de votre perception, d'autres êtres dans l'Univers appelés à réaliser des potentiels exigeant le même contexte que vos explorations sur la différence entre le masculin/féminin. L'être qui cherche à faire des découvertes sur la nature de l'autorité devra peut-être expérimenter plusieurs vies simultanées en tant que père ou fils à l'intérieur de la même constellation familiale. Dans le but de faire des découvertes novatrices au sujet des *cycles du changement*, un être devra peut-être vivre plusieurs vies dans les âges des ténèbres, au cours de la Renaissance et du XXIe siècle. Chacun de vous a différents objectifs créatifs. Cependant, vous avez tous besoin d'un système de réalité qui vous permet de faire consciemment l'expérience simultanée des multiples manifestations de votre identité. Ce fil relié à la conception est le stimulus servant à formuler un nouveau contexte de réalité. Votre intention partagée est la force magnétique qui vous assemblera. Elle attirera également à votre collectif l'énergie requise à la manifestation de sa conception – si cette dernière devient intégralement alignée parmi vous.

Dans les faits, on s'attend à ce qu'un tel groupe d'êtres soient disséminés partout dans l'Univers et que certains de leurs aspects soient représentés sous diverses formes d'incarnation. Ils devraient se montrer capables de collaboration télépathique en s'assemblant physiquement en un point précis. Pour notre propos, toutefois, nous imaginerons que ces êtres sont des personnes vivant toutes sur terre, parmi vous.

Par exemple, un groupe de onze personnes est rassemblé dans votre salon. Vous découvrez que vous nécessitez tous le même contexte afin de perpétuer vos conceptions ; cependant, le contexte en question n'existe pas. Comment le créer ?

L'approche habituelle qu'emploie l'humanité pour la discussion, la conception et le compromis ne satisfait la vision de personne, et le résultat est toujours plus restreint que le potentiel de chacun. En tant que groupe ouvert à l'alchimie de la création, vous apprécierez la discussion, mais n'imposerez pas la conception ni ne chercherez le compromis. Vous entreprendrez plutôt un processus qui s'approcherait des conciles que tenaient vos ancêtres amérindiens. Assis en cercle, vous établiriez ainsi votre intention commune et vous vous ajusteriez l'un à l'autre. Une fois ceci accompli, vous partageriez l'histoire de vos vies puisque l'occasion en serait opportune. La narration des histoires individuelles terminée, s'ensuivrait une contemplation silencieuse permettant aux messages que l'intention collective aurait magnétisés de se distiller en vous et de vous harmoniser à leurs valeurs. Vous ne chercheriez pas de conclusion ou de signification prémonitoire, car vous sauriez sans l'ombre d'un doute que le processus déboucherait sur une intuition claire, directe, au moment opportun. Finalement, chacun de vous habiterait les sentiments et les valeurs de sa propre vision des vies conscientes simultanément vécues pour s'informer mutuellement.

Chaque fois que votre collectif tiendrait un tel concile en vue d'habiter et d'ajuster son intention commune, votre intuition s'approfondirait. Les intentions et les motivations de chacun deviendraient discernables. Vos histoires et celles du collectif vous permettraient un alignement plus fin les uns avec les autres et avec les valeurs les plus élevées de votre intention. La réceptivité de vos contemplations silencieuses, votre conscience

*individuelle et le champ énergétique de votre vibration élève-
raient votre perception. Cette perception accrue et unifiante
vous amènerait à vous redéfinir et à vous réaligner en vue de
tout inclure.*

*Si les âmes représentées dans le collectif sont intégralement ali-
gnées vers un objectif commun, une seule de ces assemblées
produira l'unification de leurs intentions individuelles. Au cours
d'un tel événement, tous les êtres participant au cercle formule-
ront spontanément leur intention et leur désir de façon à inclure
chaque participant du cercle. Depuis cette condition d'existence,
la quête d'alignement résultera en une fusion et en une unification, et les valeurs fondamentales d'un nouveau contexte se
constelleront.*

*Lorsque se produit un alignement si fondamental et une telle
fusion des fréquences en réponse à une intention unifiée, une
quantité d'énergie considérable est diffusée sous forme d'impulsion créatrice, ou stimulus. Le stimulus émis depuis cet état servira de valeur axiale afin de magnétiser et d'organiser l'énergie
qui manifestera le contexte de réalité souhaité. La forme résul-
tante est syntropique, surpassant de loin l'intention consciente
de ses contributeurs individuels. Bien que la forme découle de
l'alignement intégral des fréquences et des valeurs de ses créateurs, elle demeure inconnaissable jusqu'à ce qu'elle devienne
manifeste. Ainsi se déroule le processus de conception collective. Un environnement sera formulé à partir de celui-ci... un
contexte de réalité naîtra.*

⸱⸱⸱

L'exemple cité ici s'inspire de l'avènement réel d'une création
collective à laquelle collaborèrent l'humanité et la Terre. Puisque
la Terre pouvait fournir le contexte comportant toutes les conditions, à l'exception de la perception consciente des manifesta-

tions simultanées d'une identité, nul besoin n'était de créer un contexte de réalité neuf. Seule la création d'une dimension de pensée adjointe fut requise, où les êtres pourraient faire l'expérience consciente de multiples manifestations de leur identité et donner un sens à l'illumination prochaine à partir de vies simultanées. La nature de la syntropie est démontrée dans un tel processus créatif.

La syntropie est le processus par lequel les parties d'un tout fusionnent en rendant accessibles des dimensions d'elles-mêmes et du tout auparavant inconnues et inaccessibles. Le système au sein duquel les parties sont ainsi identifiées acquiert par le fait même une énergie qui accroîtra son intégrité. La syntropie permettra également à un système de subir une transformation ou une transmutation.

Une fois habitée par ceux qui l'ont créée, une dimension nouvelle est à la disposition de tous ceux qui peuvent s'aligner sur ses valeurs et les vivre avec succès. Elle demeurera invisible aux autres, une dimension de réalité méconnue, jusqu'à ce que leurs intentions et leurs désirs les autorisent à se joindre à la conception, ou jusqu'à ce qu'ils s'alignent spontanément sur celle-ci grâce au magnétisme vibratoire sympathique. Peut-être vous demanderez-vous comment seraient les choses si vous apparaissiez soudainement en plein cœur de cette dimension nouvelle de réalité terrestre où il est normal de faire l'expérience de *manifestations simultanées* de l'identité. Votre expérience pourrait ainsi inclure une vie antérieure, un aspect différent de l'identité de votre âme, ou une forme autre de votre être. Les états altérés de conscience sont ainsi – le fait d'habiter des dimensions de réalité sur lesquelles vous n'êtes pas normalement aligné.

Les systèmes de réalité ne sont pas isolés telles des îles. Tous les contextes se fondent sur des valeurs universelles. En conséquence, un contexte nouveau influence l'ensemble de l'Univers. La Terre découle d'une vision commune aux êtres dont les fréquences et les valeurs servirent à formuler son origine et sa nature fondamentale. Sa vie est intègre avec toute vie dans l'Univers. Sa nature se prête à l'habitation par tous les êtres. S'ils harmonisent leur condition à sa nature, ils amènent leurs propres fréquences et valeurs depuis le potentiel de la Terre jusqu'à son actualisation.

L'unicité de ce qui est en vous et à l'extérieur de vous demeure abstraite pour la plupart des gens. Vous ne comprenez pas encore que vous êtes en réalité les arbres et la terre, l'océan et le carbone, l'oxygène, les escargots et les poissons, ce que vous appelez « l'environnement ». Vous ne comprenez pas encore que chaque plan de votre environnement, depuis le microcosmique jusqu'au macrocosmique, se compose des fréquences et des valeurs appartenant aux mêmes êtres qui, un jour, vinrent habiter votre environnement sous la forme d'êtres humains. Vous avez créé la Terre. La pleine compréhension de ce fait transformera votre philosophie et le mode de vie sur votre planète. La progression vers cette réalisation est aussi précieuse que son achèvement.

16. Y a-t-il une vie après la mort ?

*L*a nuit, lorsque le sommeil vous gagne, croyez-vous que quelque chose cloche parce que vous n'êtes pas éveillé ? Lorsqu'au matin vous vous éveillez, sentez-vous que les choses ne vont pas parce que vous n'êtes pas endormi ? Bien sûr que non. Vous ne faites aucun cas de ne pas être éveillé quand vous dormez et de ne pas être endormi durant l'état de veille. Vous vous impliquez pleinement dans l'une ou l'autre de ces expériences. Après une journée de boulot harassante, vous vous dévêtez et vous vous plongez avec joie sous une douche relaxante. Rien ne vous semble être de travers, vous ne croyez pas que vous devriez être encore au travail. Comme si votre réalité devait se dissiper parce que vous avez quitté le monde du travail, où vous étiez vêtu, pour pénétrer le monde apaisant de l'eau qui coule, où vous êtes présentement nu. Il ne vous vient même pas à l'esprit que d'apparaître dans l'une de ces situations dans la condition appropriée pour l'autre serait scandaleux. Au cours de la journée, vous passez d'une organisation de la réalité à une autre sans vous sentir déplacé ou perdu. À mesure que d'autres dimensions vous deviendront accessibles, vous passerez de l'une à l'autre tout aussi naturellement.

Certaines dimensions précèdent, d'autres sont subséquentes, quelques-unes vous entourent, d'autres encore reposent au sein de toutes vos expériences. À moins d'être conscient de votre multidimensionnalité, règle générale, si votre attention se focalise sur un ensemble de coordonnées dimensionnelles en particulier, celui-ci constitue dès lors la totalité de votre cadre de référence. Ce cadre semblera occuper la totalité de la réalité.

Le corps humain est similaire à un corps de pensée ou à un corps politique : il est en perpétuel changement. À l'âge adulte, la perte du corps que vous aviez à cinq ans ne vous afflige aucunement ; vous ne vous préoccupez pas davantage de la disparition de votre corps d'adolescent. Vous acceptez naturellement les transformations depuis l'époque du nourrisson à la petite enfance, de l'enfance à l'adolescence, de l'âge adulte à la vieillesse. Et pourtant, où sont donc passés tous ces corps ? Où sont donc ces manifestations qui vous absorbaient si complètement ? Ces transformations et ces disparitions ne sont ni plus ni moins importantes que le passage d'un corps humain à un corps de lumière, ou celui d'une incarnation à l'autre. Lorsque vous passez d'un état d'existence à un autre, vous vous impliquez totalement dans ce nouvel état. Il s'agit là d'une réaction spontanée.

Puisque chaque dimension de l'Univers a le potentiel d'inclure consciemment toutes les autres, vous avez accès à l'Univers entier depuis n'importe quelle situation. Inutile de vous trouver dans le besoin. L'herbe n'est pas plus verte chez le voisin. Tout vous est accessible de là où vous vous trouvez – il n'y a qu'à étendre votre perception, votre expérience, votre entendement de façon à tout inclure.

Ceux qui perçoivent les êtres qui ne possèdent pas la forme humaine détiennent la preuve incontestable de la vie après la mort. Depuis au moins l'instauration des États-Unis en tant que pays, la communauté spiritualiste de Grande-Bretagne s'est consacrée à fournir la preuve de la continuation de la vie après la mort. Plusieurs médiums appartenant à cette tradition apportent la démonstration puissante que l'identité se prolonge au-delà de la mort. Ils prennent contact avec ceux qui ont quitté leur corps humain et sont aptes à communiquer des informations et des images intimes concernant ces êtres, en rapport avec ce qui vous semble être le passé, le présent et l'avenir. Les médiums qui transmettent ces témoignages sont souvent discrédités par leurs idéologies susceptibles de masquer la preuve. Une telle chose se produit dans le cas de milliers de guérisons qui passent inaperçues du public. Un journaliste respectable peut facilement faire un reportage sur la guérison d'un cancer grâce à une technique novatrice. Il est plus difficile de prouver la véracité d'une telle guérison si la technologie en question s'accompagne de psalmodies et d'incantations obscures et opère avec le concours d'assistants cosmiques invisibles.

Plusieurs formes d'incarnation existent dans l'Univers. Il y a également des états d'être où l'identité est consciente, cependant qu'elle est dépourvue de corps. Chaque état diffère des autres de par son expérience. Lorsque vous vous identifiez à un état d'existence quelconque, vous faites l'expérience de votre identité dans cet état, que vous y soyez incarné ou non. À la mort, lorsque les gens se rendent compte qu'ils n'ont pas cessé d'exister, ils continuent de se percevoir et d'agir avec les autres êtres comme s'ils avaient encore le corps, ou la substance, auquel ils s'identifiaient le plus récemment.

Dans les états subséquents à la mort, ceux qui ont achevé une incarnation humaine ne possèdent plus l'appareil sensoriel propre au corps humain. Un type de mémoire sensorielle projeté fonctionne à sa place jusqu'à ce que les sens s'ajustent à la sensibilité du nouvel état. Avant le plein ajustement, la plupart des gens se perçoivent sous une version plus jeune et en meilleure santé que le corps qu'ils viennent de quitter.

Ceux qui se sentent étroitement connectés avec l'énergie, la lumière et l'état d'âme de leur être vivent une transition souvent fluide en quittant leur état humain. Ceux qui assimilaient mal leur corps humain trouveront fréquemment une consolation dans le fait de retrouver un corps de lumière ou leur âme. Fait intéressant, il est fort probable que ces personnes redirigeront une fois de plus leur conscience vers l'incarnation humaine.

Si vous vous percevez comme quelqu'un ayant des cheveux frisés, les yeux bleus et des chevilles épaisses, ou comme une personne accablée de relations non résolues et de rêves inachevés, il est probable que vous perpétuerez cette expérience de vie par-delà la mort. Si vous avez à votre endroit un amour libre de préjugés et si vous vous concevez comme une présence ou une lentille focalisant l'amour, ou comme toute autre métaphore illustrant une valeur essentielle, il est probable que vous vous projetterez dans d'autres états d'existence.

Après la mort, l'axiome « les pensées sont des objets » prend tout son sens, car le facteur temps ne joue plus dans la manifestation de la réalité, et le magnétisme de votre intention produit une réponse et une expérience immédiates. Nul besoin de formation ou de technique pour ce faire. La production de réalités à la vitesse de la pensée constitue un phénomène spontané.

Tous les états d'existence sont égaux en ce qui concerne leur propos.

Le passage à une nouvelle forme d'incarnation ne constitue pas un progrès en soi. Toutes les explorations de la conscience par le biais d'un système de réalité ou d'un autre se valent. Il est toutefois représentatif d'un état de conscience plus évolué de permettre la possibilité d'adopter d'autres formes d'incarnation et d'avoir une confiance suffisante en son identité pour se livrer à cette option.

Une identité entre deux incarnations se compare à une préparation pour faire des pâtes. Encore informe, ce mélange contient toutes les possibilités de pâtes : spaghetti, linguini, lasagnes, fettucini, cheveux d'ange, coquilles, mostaccioli ou radiatore. Malgré son vaste potentiel, jusqu'à ce qu'un engagement soit pris, l'identité ne possède aucun système *formulé* au sein duquel faire l'expérience de son état de pâte alimentaire et l'exprimer. L'état d'être ne cesse jamais ; il se transforme, se transmute. Même dans son état entre deux incarnations, ou deux systèmes d'incarnation, il perdure. Pour la plupart des humains, l'expérience intermédiaire ressemble davantage à la planification d'un voyage envisagé plutôt qu'à l'entreprise en tant que telle.

Ayant énoncé l'intention de se manifester en s'alignant sur un système de réalité, un être est prêt à exprimer sa fréquence/valeur et les ressources de son âme à travers une nouvelle identité. Dès lors, celle-ci est informée de la nature de la Totalité de ce qui est à mesure qu'elle se constelle dans le système de réalité choisi. Si l'état humain est celui sélectionné, ce processus de formation prendra environ neuf mois. Durant cette période, l'être s'incarnant émettra sa fréquence/valeur unique dans le champ vibratoire de la Terre, se traçant ainsi un chemin de nature énergétique. L'identité qui vient sera liée au nouveau système de réalité par des valeurs, jusqu'à ce qu'elle ait parachevé sa nature locale et qu'elle se soit épanouie pour inclure d'autres dimensions de réalité, ou jusqu'à ce qu'elle ait complété son cycle de manifestation dans cette forme et qu'elle passe à autre chose par l'intermédiaire de la mort et de l'incarnation.

La vie après la mort existe certainement – et lui succèdent encore d'autres vies.

17. La découverte de la nature spirituelle se fait-elle au prix du libre arbitre ?

*D*ans sa forme la plus précieuse, le libre arbitre vous permet de vivre la vie du Créateur, d'être la source de votre propre univers de réalité. Il constitue une dotation astucieuse, un instrument propre à l'innovation qui permet l'expression des potentiels de la nature. Les subtilités et les nuances de la Totalité de ce qui est seront découvertes et manifestées en une variété en perpétuelle mouvance. Le libre arbitre est censé servir d'adjoint à l'intelligence, aux instincts et au magnétisme appartenant intrinsèquement à votre être. Cependant, la race humaine s'occupe plutôt aujourd'hui de pouvoir et des ramifications du libre arbitre, se détournant ainsi des valeurs qu'il est supposé exprimer.

En tant que créateurs nantis de pouvoir par le libre arbitre, vous avez produit une réalité collective que vous ne respectez pas. Le fait d'attribuer ceci à la nature humaine, plutôt qu'à l'inconscience humaine, diminue votre respect pour vous-même, pour l'humanité, pour le libre arbitre et la nature. Voilà qui cause de la souffrance. Les gens souffrent quand ils effectuent des choix qui les diminuent.

Les choix entraînant l'autorestriction s'effectuent souvent quand une personne, ou un collectif, se sent dépassée, confuse, ou cherche à éviter la responsabilité qu'implique l'autoexpression. Ces choix peuvent également découler d'une fausse conception de l'humilité ou du service aux autres, soit de la notion de martyre. Peu importe ce qui les incite, la dénégation ou la désensibilisation que requiert la vie soumise aux choix autorestrictifs vous anesthésient. Vous induisez en vous une léthargie momentanée. Dans cette indolence, votre volonté reste sourde aux stimuli de l'inspiration et de la direction intérieure. La dissociation entre l'esprit et le mental vous permet de penser à vos options sans toutefois prendre action.

Si l'unité du mental et de l'esprit se *désintègre*, l'exploration d'un territoire nouveau est sacrifiée au prix de la préservation de la survie. Tel un ours en hibernation, votre sommeil se prolongera jusqu'à ce que la menace à votre survie se soit éloignée et que vous sentiez un appétit renouvelé pour la vie. Un tel fait se produit normalement lorsque le sommeil de la dénégation, de la désensibilisation ou de l'illusion vous piège davantage que la souffrance qu'il sert à éviter. Heureusement, le réveil constitue une impulsion naturelle et tout sommeil peut porter les rêves inopinés de renouveau, d'intuition ou de libération.

Même si vous n'avez aucune intention d'élever votre conscience ou ne faites aucune action visant à étendre votre compréhension de la Totalité de ce qui est, votre simple enrôlement dans la vie depuis l'enfance jusqu'à la maturité provoquera une croissance en votre conscience et entendement. Même si vous ne faites aucun choix susceptible d'induire une progression au niveau conscient, le magnétisme fondamental de votre superconscient et de votre subconscient l'effectuera de toute manière. Votre superconscient vous poussera vers ce qui servira à réaliser l'objectif qui motive votre existence sur terre. Votre subconscient vous attirera vers la maîtrise de ce qui vous inhibe en produisant fréquemment l'événement sous forme concrète ou métaphorique.

Lorsque vous ne prenez pas la responsabilité d'être créateur de votre expérience, il est fort probable que vous ne remarquerez ni n'estimerez ce que vous amène votre magnétisme subconscient ou superconscient. Du fait d'une telle négligence face à vous-même, votre amplitude fréquentielle décroîtra, attirant et perpétuant des expériences liées à votre désillusionnement. Votre volonté se languit tel un poids entravant le travail de votre esprit subconscient et superconscient. Ceci diminue le taux d'attraction de beaucoup par rapport à une activité résultant de choix que vous auriez faits, lorsque votre volonté est la force motrice. L'amplitude fréquentielle réduite et le rythme ralenti de production de réalité personnelle, accompagnés de la probabilité que les créations superconscientes et subconscientes passent inaperçues, poussent la plupart des gens qui abdiquent le privilège de choisir à la dépression, au détachement, leur donnant le sentiment de n'avoir aucun rôle précis ou aucune raison d'être.

Il est important de se souvenir que la voie consistant à céder le privilège de choisir et que l'abdication qui engendre le sentiment de négligence et la stagnation en apparence insignifiante ne sont en aucun cas des échecs. Vues dans le processus de la découverte de soi, elles possèdent une valeur et une intégrité. Durant ces interludes, il importe peu que la menace à votre survie soit perçue ou vécue. Lorsque votre libre arbitre se détache de l'inspiration et de l'action créatrice, même le fait de reconnaître que le danger est illusoire ne dissipe pas la peur. Le fait d'en repérer la source ne sera valable qu'après vous être réveillé ou que lorsque vous engagez de nouveau votre libre arbitre et ses pouvoirs.

Peu importe que vous créiez ou abdiquiez, la nature fournit un contexte informatif pour vos expériences. Son feed-back est une constante. Elle vous parlera même si vous n'entretenez pas de dialogue avec vous-même. Si le temps est venu de formuler vos préférences et que vous ne le faites pas, on vous servira du ragoût avarié partout où vous irez.

Si la vie est instructive en soi, pourquoi ne pas laisser la nature effectuer des choix pour vous ? Pourquoi ne pas laisser « les forces existantes » vous influencer à leur guise ? Si vous laissez à la nature le soin d'effectuer vos choix personnels, vous serez emporté par ses forces fondamentales. Si votre léthargie n'est pas totale, vous pourrez en sentir les rythmes, percevoir ses patterns, et goûter son expression libre d'entraves. Si vous considérez la nature sous cet angle, une telle compréhension peut vous renseigner grandement sur votre être intérieur. Cependant, vous laissant entraîner par les éléments de la nature, vous serez peut-être bousculé sur des eaux tumultueuses, ou tourbillonnerez dans la tourmente. Pour vous consoler de l'intensité de son expression, il vous faudra éventuellement effectuer des choix. Que vous attrapiez une branche, que vous vous mettiez à l'abri, ou que vous appreniez à interpréter ses signes, elle vous rendra votre pouvoir et vous enseignera que *l'affirmation du libre arbitre fait partie intégrante de la nature.*

Si, au lieu d'abdiquer et de vous laisser emporter par les flots de la nature, vous croyez pouvoir demeurer inerte, vous vous fourvoyez sérieusement. L'inertie n'existe pas. L'énergie est en mouvement perpétuel. Seule l'absence de conscience lucide produit cette impression. Même pour ceux qui sont illuminés, le calme intérieur résultant de leur intégration magistrale existe de façon concurrente avec le mouvement constant de la nature.

Si vous n'appliquez pas votre volonté au processus créatif de votre choix, la volonté et les décisions d'autrui vous influenceront plus aisément. En concédant votre privilège d'effectuer des choix basés sur votre valeur propre, vous vous joignez aux rangs des faibles manipulés par le programme d'une minorité. Les intérêts acquis par un groupe inférieur à 10 000 personnes exercent une mainmise sur les variables planétaires et affectent une population mondiale de plus de six milliards d'individus. Ceux dont les intérêts gouvernent ne sont pas les leaders visibles. Leur mode de gouvernement s'exerce par le contrôle, non par le leadership.

Ceux qui croient que leur programme devrait être celui de tout le monde peuvent facilement collectiviser leur volonté et tracer un plan d'action. Le sentiment de posséder une idéologie supérieure alimente chez eux une certitude qui, pour ceux qui supposent ne pas savoir et souhaitent cependant apprendre, s'avère illusoire. Une telle position leur permet de démontrer avec sincérité leur sentiment de vertu. Cependant, pour ceux qui cherchent la voie permettant d'inclure les libertés de chacun, il est beaucoup plus difficile de tracer un plan d'action unifié. Plus vos expériences de vie sont dirigées de l'intérieur, plus vous estimez la liberté émanant de votre propre parcours. Plus vous acceptez la multidimensionnalité et la validité de tous les chemins, plus il vous est difficile de savoir comment gérer les libertés. Cette évaluation ne porte aucun jugement sur les appartenances libérales et conservatrices. Les appartenances s'appuient sur des convictions, pas forcément sur la nature.

Dans certains contextes religieux et spirituels, le libre arbitre est dépeint comme une force de séduction qui détourne de la voie menant à la divinité et à l'illumination. On suggère de renoncer au libre arbitre individuel comme moyen d'unification à des puissances divines ou illuminées.

Votre libre arbitre permet l'expérimentation, l'apprentissage de la voie vers la maîtrise personnelle. Ce processus d'expérimen-

tation vous laisse découvrir, de manière empirique, la nature plénière de l'amour et son pouvoir d'illuminer. Au fil de l'alignement de votre autoexpression sur l'identité de votre âme, la distinction entre votre volonté personnelle et la « volonté divine » disparaîtra. La question quant à savoir s'il faut affirmer ou délaisser votre volonté n'est, dès lors, plus pertinente. Le dilemme se dissipe parce que vous avez finalement atteint l'expression de votre nature essentielle – l'expression de votre valeur – et non pas parce que vous avez trouvé la « bonne » façon d'être.

Avant d'aligner les aspects personnels et universels de sa nature, personne ne peut décrire adéquatement ce qu'est le Soi unifié. Personne n'est façonné de la même manière. Personne n'a les mêmes raisons de vivre sa vie sous forme humaine à la présente époque. Plusieurs disciplines religieuses et spirituelles tracent une route à suivre. Ces voies sont censées mener les autres à l'amour, à la dévotion et à l'action juste – tels que vécus, imaginés ou évalués dans cette discipline. Le défi qui s'offre à vous consiste à réaliser l'amour, la dévotion et l'action juste tels qu'ils naissent et vous sont révélés de façon unique. Voilà le parcours appartenant à ceux dont la vie a inspiré ces disciplines religieuses et spirituelles. Jusqu'à ce que vous acceptiez la direction intérieure et ayez le courage de la suivre, vous trouverez peut-être l'orientation et le réconfort au sein des voies offertes aux autres.

La nature se sustente et se recycle sans cesse, préservant de façon inhérente son bien-être. La nature humaine, en tant qu'une des expressions manifestées de la nature, possède une capacité égale. Elle est aussi nantie du libre arbitre. Lorsque celui-ci cherche à contrôler plutôt qu'à coopérer, sa manipulation peut annuler cette capacité innée que possède l'humanité de préserver son bien-être.

L'emploi du libre arbitre afin de vous contrôler vous-même et les autres, au lieu de vous libérer vous-même et les autres, est fréquent dans la plupart de vos vies. Imaginez qu'un jeudi soir, votre père, vivant à l'extérieur de la ville, vous téléphone pour annoncer qu'il rendra visite à votre sœur qui habite à une heure de route de votre domicile. Il vous dit qu'il a très hâte de revoir sa famille, qu'il y a une chambre d'amis qui vous attend chez votre sœur et que celle-ci a promis de cuisiner votre dessert préféré.

Lorsque le coup de fil vous est parvenu, vous étiez affalé dans votre fauteuil préféré, à ne rien faire, à fixer l'espace vide devant vous, trop fatigué pour arriver même à penser. Le seul fait de répondre au téléphone a exigé de vous un effort considérable. Depuis plusieurs jours déjà, vous sentez l'arrivée imminente d'une grippe. Vous avez procédé à des massages, pris de la vitamine C et planifiiez vous offrir un week-end à vous dorloter – repos à volonté, nourriture saine, relaxation.

Chaque fibre de votre être sait très bien qu'il vous faut rester à la maison, boire des tisanes, vous reposer et rester au calme. Pourtant, vous répondez à votre père que vous êtes enchanté de sa visite et vous voilà engagé à vivre un week-end exténuant, à discuter tard dans la nuit et à abuser de gourmandises. Vous ne souhaitez pas blesser votre père et vous n'avez pas l'énergie ou la finesse psychologique pour régler les vieux préjugés et les sentiments responsables de ces habitudes de malhonnêteté et de manipulation provoquées par l'éloignement de l'intégrité entre vous.

En vue de protéger les sentiments que tous présument que chacun devrait avoir – bien que ce ne soient les sentiments de personne –, vous choisissez d'ignorer votre corps et vos émotions réelles. Vous choisissez d'étouffer la voix qui sait. Et par la suite, vous vous demandez pourquoi elle se fait presque inaudible... Votre sœur, sujette aux mêmes conceptions erronées de l'amour, servira à sa famille une meringue au chocolat, bien qu'on ne mange plus chez elle de sucreries depuis un an. Votre père ressassera sans cesse ses souvenirs comme moyen d'exprimer son amour parce que nul ne sait comment changer la dynamique familiale. De crainte de blesser, personne n'osera une expression de soi authentique. Bien que ce soit là le seul moyen permettant la révélation de l'intégrité de la vie, chacun craint de croire que l'expression honnête sert le plus efficacement le bien suprême. Chacun a peur de renoncer au contrôle. Cette situation propre à l'humain est tout à fait transformable. Le fait de vous être mis dans cette situation et de vous en sortir relève du libre arbitre.

～〰～

Si vous cherchez à épargner les sentiments des autres par un comportement qui cause des souffrances différentes de celles que vous tentez de prévenir, le sens et l'intégrité de votre vie seront minés. Par crainte de renoncer au contrôle, votre potentiel s'abîme dans un gouffre qui s'installe entre votre être et votre comportement.

Les attentes qui produisent ce piège sont enseignées et acquises. Elles ne sont pas innées. Cette façon d'entrer en rapport avec les autres est désuète. Elle a été mise à l'épreuve sans apporter de résultats positifs. Pour arriver à faire face à l'insécurité et à la méfiance d'une société qui ne vous accorde pas assez de valeur, deux possibilités s'offrent à vous : délaisser toute crainte et suivre la direction intérieure ou encore, tenter de contrôler les facteurs qui sous-tendent votre vulnérabilité. On opte le plus souvent pour le contrôle. Ce choix implique d'une part l'imposition de comportements, pour vous-même et pour les autres. D'autre part, il entraîne les jeunes vers des voies galvaudées et des modèles de comportement qui se sont déjà avérés contraires

à la réalisation de soi et à l'alignement sur l'âme. Il faut reven-
diquer quelque chose qui soit davantage conforme à la nature,
et l'enseigner.

Si vous décidez de ne pas tenir compte de votre direction inté-
rieure et des valeurs suprêmes, peu importe vos motivations,
vous vivrez dans une réalité qui alimente la raison et vous
affame de valeurs. Même si vous souffrez à cause de choix ins-
pirés de votre direction intérieure, vous récupérez votre pouvoir
de prendre des décisions ultérieures qui seront informées par les
choix précédents et par votre intégrité. Si vous renoncez à votre
pouvoir d'exercer un choix fondé sur la guidance intérieure,
vous devrez endurer votre souffrance jusqu'à ce que le monde
change.

La nature du libre arbitre ne comporte aucun défaut. Celui-ci vous permet d'engendrer la souffrance ou de vous en libérer. Ce n'est pas seulement la manière dont les choses arrivent mais aussi votre façon de réagir et de répondre aux variables de votre vie qui détermineront encore davantage votre expérience. Une antenne de télévision mal ajustée sur son axe produira une réception altérée. Si vous ne prenez pas conscience que votre libre arbitre est modifié et que vos valeurs sont désalignées, vous ne pouvez pas savoir que votre réception de la vie n'est pas à son meilleur et qu'elle est inférieure à sa pleine capacité. Peut-être supposez-vous que ce que vous recevez constitue le maximum possible. Plusieurs personnes adoptent cette attitude face à leur vie frustrante. La réparation du téléviseur ne réglera pas la réception brouillée si l'antenne mal ajustée est à l'origine du problème. De même, l'atténuation de votre stress par le sport, l'indulgence et les distractions ne soulagera pas véritablement votre souffrance. Traiter les symptômes du désalignement plutôt que la cause prolongera en fait votre souffrance.

Aussi longtemps que l'affirmation humaine du libre arbitre sera déformée, chacun se retrouvera sur un radeau plein de besoins imaginaires et d'inventions servant à compenser les défaillances dues à la réception fallacieuse de sa vie. À l'heure actuelle, l'humanité ose à peine se permettre financièrement d'ajuster son antenne. Depuis l'angle de vos valeurs désalignées, l'enjeu est presque trop important pour faire cesser la souffrance. La population de la Terre a élaboré une réalité commerciale et un mode de vie fondés sur la supposition que la vie est défectueuse, qu'elle nécessite des mécanismes extérieurs pour la sustenter et lui donner une raison d'être vécue. La majeure partie du quotidien et de l'énergie de la société est consacrée à produire et à utiliser des inventions extérieures servant à améliorer la vie. L'industrie perpétue son existence avec des produits créés à partir de votre négligence à l'égard de la nature.

La vie meilleure dont vous rêvez – et que vous avez été éduqué à envisager – dépend de ces produits. Très peu de ces derniers sont requis pour faire l'expérience de satisfaction personnelle et d'interconnexion pleine de sens ; si peu, même, que tous pourraient y avoir accès dès maintenant.

Vous êtes créateur de votre vie, consciemment ou autrement. Il est faux de croire que votre volonté s'interpose et que la voie de l'évolution spirituelle consiste à renoncer à cette détermination. Avec une ouverture à la découverte de soi, votre volonté est votre voie. La confiance en son cours permet de produire une réalité qui vous révèle à vous-même et vous apporte le feed-back indispensable à la maturation en un être universel. En accomplissant son objectif petit à petit, la volonté se transforme en tempérance et se consume elle-même. Elle aura créé sa voie jusqu'à l'essence. Elle ne l'aura pas abandonnée.

18. Où va-t-on pendant l'état de rêve

ou au cours d'expériences

extracorporelles ?

Où étiez-vous lorsque vous vous êtes rendu compte que vous étiez arrivé à destination guidé en quelque sorte par le pilote automatique, sans même avoir eu conscience d'être au volant de votre voiture ? Où donc êtes-vous lorsque l'expérience que vous faites durant la méditation ou le sommeil s'avère trop tangible pour n'être qu'un rêve ?

Les expériences de réalité hors de l'ordinaire et les rencontres avec des Êtres du Grand Univers exigent une modification de votre état d'être, un magnétisme intensifié, ou un changement de votre amplitude fréquentielle. Si un objet auparavant invisible devient manifeste, cela signifie que vous avez évolué dans au moins l'une de ces voies. Toute transition vers des états hors de l'ordinaire implique le passage de votre conscience, parfois de votre corps, à travers l'*espace astral*.

L'*espace astral* est une zone transitoire à l'intérieur et autour de chaque système de réalité planétaire et dimensionnelle dans l'Univers. Il ne s'agit pas du « plan » astral, tel qu'on le désigne fréquemment, mais d'un réseau intégral d'espaces dimensionnels, ou zones. Les zones astrales servent une fonction similaire pour tous les êtres de l'Univers et non seulement pour les êtres humains. Il s'agit de zones de conscience transitoires où les réalités temporelles sont créées par ceux qui ont une raison de les produire.

Dans certains cas, l'espace astral sert simplement de traversée vers d'autres dimensions de la réalité universelle – une station sur la ligne où le train ne marque pas d'arrêt. Dans d'autres cas, il constitue la destination du passager. Et parfois, le voyageur dont l'intention était de passer au travers en empruntant l'express se voit absorbé dans les événements se déroulant dans l'espace astral et prend plutôt le train local.

Les expériences difficiles ou dualistes dans une réalité hors de l'ordinaire – par exemple, la répétition d'événements passés bouleversants ou incomplets en vue de leur résolution – se produisent à l'intérieur de l'espace astral. Elles sont accessibles par l'intermédiaire de votre subconscient.

Les expérimentations inhabituelles qui vous emplissent de sentiments de renouveau ou vous illuminent de l'unicité de l'Univers et de votre faculté de création en son sein se produisent au-delà de l'espace astral. Elles sont accessibles par l'intermédiaire de votre superconscient ou de votre âme.

D'une façon générale, l'espace astral peut se comparer à la dimension subconsciente que postulent les humains. Vous avez développé votre subconscient comme contexte limité afin d'y inclure des expériences que vous n'êtes pas prêt à intégrer. Il vous permet d'exclure de votre expérience et de votre responsabilité consciente les aspects désagréables ou accablants de la réalité. Le subconscient possède des délimitations précises. Cette réalité subconsciente n'apparaît normalement pas aux autres ; elle n'occupe généralement aucun espace physique ou temporel ; pour la conscience, c'est un centre secondaire plutôt que primaire ; bien que son contenu puisse signifier quelque chose pour autrui, l'expérience demeure individuelle.

Les zones astrales diffèrent de votre subconscient en ce que plusieurs êtres peuvent y interagir à l'intérieur d'une expérience temporelle commune tout à fait semblable à la réalité. Les expériences produites dans les zones astrales n'ont aucun impact apparent sur les êtres qui ne s'y trouvent pas. Elles peuvent toutefois avoir des répercussions invisibles considérables. Si Hitler devait réconcilier son passé dans un scénario astral, l'attachement à la persécution historique à caractère religieux diminuerait dans le monde, et l'humanité bénéficierait d'un stimulus favorisant sa guérison.

Chaque système de réalité contemporain dans l'Univers se fonde sur une organisation différente des mêmes valeurs et intégrée de façon unique. L'espace astral présente la seule exception. Il s'agit du seul espace interactif dans l'Univers qui ne comporte aucune organisation préétablie des valeurs universelles. Cette condition particulière l'autorise à servir également les êtres de systèmes de réalité divers nantis d'organisations de valeurs différentes. Sa nature doit refléter tout ce que vous y apportez.

Cette nature réfléchissante explique le danger, l'hostilité et le conflit que certains individus affrontent dans l'espace astral. Peu accoutumés à se déplacer hors du corps ou à l'extérieur d'états de conscience ordinaires, leur expérience est susceptible de réveiller leurs craintes et de les pousser à rechercher les menaces, les dangers ou les adversaires. Puisqu'ils s'attendent à de telles apparitions, ils forment le contexte astral les favorisant et s'y projettent. Lorsqu'ils reviennent aux états de conscience ordinaires après de telles expériences, ils concluent que l'espace astral est habité par des entités démoniaques et des forces maléfiques. Il est certainement aussi facile de concevoir un contexte propice à une interaction avec des anges, des personnages mythologiques ou des êtres chers disparus et qui ont accès à l'espace astral. Le contenu de l'expérience astrale reflète l'état intrapsychique du voyageur astral. Cela ne signifie pas pour autant que celle-ci n'est qu'imaginaire : lorsqu'elle se produit, elle se dote d'une pleine réalité.

Les expériences engendrées comme reflets du mental intrapsychique trouvent leurs descriptions dans maints contes classiques. Les héros et les héroïnes pénètrent des réalités extraordinaires pour générer et conquérir leurs peurs et leurs contraintes en vue de réaliser les valeurs auxquelles ils aspirent. Ulysse vaincra-t-il les sirènes ? Siddhartha s'affranchira-t-il des impératifs des plaisirs sensuels, et Luc Skywalker surmontera-t-il son manque de confiance en soi ?

En l'absence d'une organisation des valeurs préétablie, l'espace astral permet la simultanéité de constructions de réalités éphémères qui ne pourraient autrement coexister dans la même dimension. Vous pourriez être l'adulte que vous êtes présentement et vous observer lorsque vous étiez enfant en compagnie de votre grand-père, décédé juste avant votre naissance. L'espace astral est tout à fait semblable à l'intervalle transitoire entre la l'état de veille et l'état de rêve, lorsque vous êtes capable de relier certains aspects d'une réalité avec une autre. Tout comme une ville frontalière où se chevauchent deux ou plusieurs cultures.

Jusqu'à ce qu'une personne y projette une réalité, l'espace astral ne contient rien d'autre que du potentiel. Aussitôt un thème ou une valeur projetés dans cet espace, l'opportunité de faire usage de ce contexte s'offre à d'autres êtres dans l'Univers, qui y seront souvent attirés inconsciemment, à la manière d'un rêve.

L'espace astral peut combler certains besoins que votre vie éveillée ne peut satisfaire. Si vous êtes prêt à vous impliquer plus profondément dans l'aspect communautaire, mais n'avez pas résolu votre attirance au territorialisme – que l'on rencontre par exemple dans le Far West américain –, l'espace astral vous permet de satisfaire cette tendance en la vivant par intérim. Si une oppression adventice éveille en vous un féroce sentiment d'injustice face à l'esclavage, vous pouvez revendiquer votre égalité en recréant l'abolitionnisme de la guerre civile américaine dans l'espace astral. Grâce à cette expérience par intérim dans l'espace transitoire, les êtres n'ont nul besoin d'investir une vie entière dans la mise en place de circonstances propices aux résolutions d'éléments secondaires mais nécessaires pour atteindre l'objectif de leur vie. Ils peuvent avoir des expériences réelles sur une période de temps concentrée, dans un environnement simulé – pour autant que la projection suive son cours.

Une projection astrale constitue un environnement parfaitement instable. On ne sait jamais combien de temps la conscience pourra maintenir la concentration indispensable afin de demeurer cohérente. De plus, ces projections se conformeront à votre système de réalité originel, dans la mesure où celles d'autres êtres ne s'y immisceront pas. La période de temps pendant laquelle vous pourrez maintenir la cohérence déterminera si vous irez au bout de l'expérience

projetée ou en serez éjecté avant sa conclusion. Le degré de
conformité à votre système de réalité définit le sens que l'ex-
périence aura et le succès de son assimilation à votre
conscience.

Peu importe votre situation dans l'Univers ou le degré d'évo-
lution de votre conscience, l'expérience transformatrice exige
une intégration physique, émotionnelle, psychologique, intel-
lectuelle, transpersonnelle et spirituelle. Si vous suscitez un
scénario dans l'espace astral, puis retournez à la réalité ordi-
naire avant sa conclusion, vous êtes susceptible d'évoquer
quelque chose émanant de votre subconscient sans aucun
contexte conscient pour sa résolution. Une projection inter-
rompue comme celle-là peut s'avérer difficile à intégrer.
Certaines projections ne trouvent aucun parachèvement
logique et sont pourtant très réussies. Les êtres de par
l'Univers continuent à en prendre le risque.

~~

Tout comme la *réalité virtuelle* qui vous permet de participer au
Grand Prix, ou de vous balader sur un terrain d'une ville éloignée
sans quitter votre foyer, l'espace astral vous autorise à vous
déplacer au-delà de la mémoire et de l'imaginaire, jusqu'à l'expérience directe de leur réalité. Les expériences astrales ne ressemblent aucunement à des constructions théâtrales. Une fois que
vous vous êtes identifié à la projection astrale, l'expérience semble
tout aussi tangible que votre vie l'est. De ce fait, les expériences de
l'espace astral peuvent avoir un sens et une intégrité. Même si
vous avez conscience d'être dans un état altéré, les stimuli sont
d'une réalité telle que vous cesserez d'observer et vous impli-
querez totalement dans la pertinence attrayante de l'expérience.

L'espace astral est naturellement plus volatil qu'un système
constant et cohérent. Il est propice à la manifestation d'états

perturbateurs et compétitifs appartenant aux réalités dualistes. Il s'avère presque impossible de conserver une valeur invertie ou désalignée dans le contexte d'une conscience individuelle ou d'un système de réalité collectif pleinement compréhensible. Si les êtres appartenant à un système de réalité évolué deviennent désalignés, l'énergie de leur désalignement les dissociera temporairement de leur environnement intégral. Ils font alors l'expérience d'un perte de cohérence et sont spontanément relocalisés vers une zone astrale où la contextualisation et la résolution de la valeur désalignée pourront s'accomplir. Cette relocalisation se fait aussi naturellement que la fonte de la neige au soleil. Elle n'est ni bonne ni mauvaise ; elle est simplement comme la neige qui fond, sans plus, sans jugement sur elle. Pour les êtres évolués, cette relocalisation spontanée vers l'espace astral n'est ni terrifiante ni déroutante. Il s'agit d'un processus familier qu'ils accueillent comme révélateur de soi et autoguérisseur.

Il est inusité qu'une personne rencontre des difficultés au retour à la conscience ordinaire depuis une projection astrale – tout aussi inhabituel que de vous éveiller au milieu d'un rêve et de ne pouvoir en sortir immédiatement. Pour vous retrouver prisonnier d'une projection astrale, il faudrait que votre état de conscience ordinaire présente une désorganisation telle que cette dernière rendrait impossible une identification assez claire pour réintégrer votre état initial. Une telle situation est possible lorsque l'état ordinaire a été perturbé par l'usage de drogues ou par une violation fondamentale – dans le cas de sévices graves, de privations ou de grandes terreurs, par exemple. Si certaines de ces violations à caractère historique sont réactivées durant une projection qui perd sa cohérence avant sa conclusion, une discontinuité extrême pourrait en résulter et rendre difficile la réidentification à votre conscience ordinaire. Ce que votre société appelle « psychose à personnalités multiples » est le pro-

duit d'une telle perturbation et d'une telle interruption qui
engendrent des manifestations de réalité personnelle simultanées
et inconstantes.

∽∾

Les êtres humains qui tentent de faire l'expérience du Grand Univers et les êtres du Grand Univers qui tentent de faire l'expérience de votre réalité doivent tous traverser les zones transitoires de l'espace astral en évitant d'être piégés par une projection. Si vous n'en devenez pas prisonnier, l'espace astral sera pour vous une autoroute menant à des destinations de l'au-delà – à d'autres planètes ou dimensions de vous-même et du Grand Univers.

À sa façon, l'espace astral offre une zone préparatoire propice à la découverte de soi qui assure au voyageur une disposition à faire l'expérience de réalités dimensionnelles et planétaires autres. Si vous êtes préoccupé par vos projections et n'êtes pas prêt à les dépasser, l'espace astral vous accordera l'opportunité de tout nettoyer. Si vous êtes fermement établi dans votre identité et faites preuve d'une cohérence de conscience suffisante pour vivre un système de réalité autre, vous pouvez vous déplacer à travers l'espace astral sans même le remarquer. Aucun accroc émotif, psychologique ou mental ne vous entravera. Durant un passage non-obstrué, l'espace servira à adapter votre fréquence et/ou votre magnétisme au fonctionnement d'un autre système de réalité – tel un transformateur qui permet l'usage d'un appareil de 220 volts sur 110 volts seulement.

Il est possible, dans l'état astral, de vivre des conditions qui ne s'expriment généralement pas dans votre système de réalité locale, mais qui appartiennent naturellement à d'autres formes de vie ou d'autres dimensions dans l'Univers. Lorsque le transformateur astral a bien accompli son travail, vous n'êtes pas désorienté par des conditions altérées comme l'absence de temps, le temps condensé ou étendu, le renversement des rôles, la télépathie, la transfiguration et la communication entre les espèces.

L'omniprésence de valeurs universelles vous rend apte à faire l'expérience de vous-même en tant que constante, peu importe votre situation dans l'Univers. Même lorsque la manifestation externe d'une valeur prend une forme inusitée, le stimulus qu'elle communique, ainsi que le sentiment et les réponses intellectuelles qu'elle suscite resteront les mêmes. Vous emportez votre « système personnel » de conscience partout où vous allez dans l'Univers, à moins d'y renoncer sciemment en vue de vous identifier à un système de réalité autre.

Les êtres universels ayant transcendé la réalité dualiste participent rarement aux dimensions astrales transitoires. Les seules occurrences sont là en vue de faciliter une autoguérison, ou la guérison et l'expérimentation d'autrui. Nous employons l'espace astral comme autoroute cosmique d'abord, afin de passer d'un système à l'autre.

En vous familiarisant avec la nature de l'espace astral et son mode de déplacement, vous acquérez le discernement indispensable à un emploi judicieux. L'astral devient un outil conscient servant à faire progresser votre guérison personnelle et votre exploration. À mesure que vous prenez conscience et que vous vous sentez à l'aise avec ces expériences de l'espace astral, d'autres systèmes de réalité vous deviennent plus aisément accessibles.

19. Les extraterrestres

nous rendent-ils visite ?

*L*es êtres en provenance du Grand Univers ont toujours gardé contact avec la Terre et son peuple. Nous fûmes capables de vous atteindre dès l'aube de votre civilisation. En vérité, nous nous sommes périodiquement joints à vous en ces époques et en ces lieux de l'histoire où la pensée populaire permettait notre existence. Les nombreux objets à l'effigie d'êtres ailés ou transportés dans des véhicules ailés attestent ces visites.

À une époque plus récente sur le tracé de votre continuum temporel, des êtres du Grand Univers – la plupart d'entre eux n'ayant pas encore atteint l'illumination – ont échangé avec des membres des communautés dirigeante et scientifique de la Terre. De par l'exclusivité de ces rencontres et l'attitude des participants, l'intrigue et la confusion en furent les principaux résultats, ajoutées à un minimum d'échanges d'informations et de technologies. Votre technologie dans son ensemble ainsi que les techniques de voyages dans l'espace ne seraient pas au point d'évolution actuelle si ce n'était des matières et de l'information apportées par les visiteurs extraterrestres. Certains matériaux industriels d'emploi courant et la technologie de propulsion appartenant aux programmes spatiaux sont d'une ingénierie en provenance de ces sources.

Les participants à ces rencontres entre le gouvernement et les êtres de l'Univers, ou les individus impliqués dans les événements entourant ces rencontres, sont disséminés un peu partout. Certains ne souhaitent pas être identifiés, et plusieurs sont déjà morts. Les investigateurs contemporains de phénomènes liés aux ovnis (objets volants non identifiés) n'ont obtenu qu'une information partielle au sujet de ces rencontres historiques entre les mondes. Malheureusement, beaucoup de ceux qui font partie de cette communauté dévouée et informelle se sont désignés « les bons » qui combattent « les méchants » – le gouvernement répressif – afin de découvrir la vérité et de la révéler à l'humanité. Leur participation au modèle antagoniste alimente la méfiance collective liée aux IET (intelligences extraterrestres) et aux ovnis. Du moins, cette position dualiste entrave de façon importante les possibilités d'appui universel envers leur mission – également une mission de l'Univers. Plutôt que de vaincre ou de déjouer ceux qui sont opposés à leurs tentatives d'investigation, nous aimerions que ces chercheurs de vérité arrivent à conquérir la position antagoniste en eux-mêmes. Une telle victoire les alignerait mieux sur les êtres universels évolués et permettrait au magnétisme vibratoire sympathique de faciliter leur expérience consciente directe de l'IETI (intelligence extraterrestre illuminée).

Plutôt que d'être répressifs, les récents gouvernements américains se sont montrés ignorants ou mal renseignés quant à ces événements historiques extraordinaires. Nous vous assurons que les opportunités interdimensionnelles que l'humanité s'apprête à connaître surpassent de beaucoup ces faits enlisés dans le bourbier de l'intrigue. En raison de l'interaction largement attestée avec des êtres universels évolués, le mystère et la confusion entourant ces événements se dissiperont rapidement.

Il existe une raison valable expliquant pourquoi le peuple de la Terre ne réussit pas à joindre d'autres formes de vie dans le cosmos. Les modèles et les idées qui dominent votre société à l'heure actuelle sont de nature capitaliste et compétitive plutôt qu'humaniste et coopérative. La technologie que vous êtes en mesure de développer à partir de ces valeurs inverties ne vous donnera pas accès aux populations plus illuminées de l'Univers. La construction vibratoire de vos idées et de votre hardware n'est pas favorable aux environnements physiques et mentaux que vous souhaitez atteindre. Elle est trop dense.

Dans leur recherche de progrès technologiques, les civilisations extraterrestres évoluées étudient la nature de la réalité univer-selle afin de découvrir des modèles pour leurs développements technologiques. Si une idée ne peut être réalisée de concert avec l'environnement, elle est rejetée faute d'être satisfaisante ou d'avoir été assez mûrie. Si une idée est jugée cohérente avec les valeurs universelles et la nature locale, des études et des recherches sont alors mises en branle. Ce système de valeurs respectueux n'est pas légiféré. Il constitue le code éthique de civilisations qui prospèrent sous son égide. Grâce à ces contrôles de l'intégrité, chaque étape du progrès scientifique engendre des sous-produits qui prolongent le bien-être et les options créatrices de leurs sociétés et de l'Univers.

Ceux qui travaillent au progrès technologique sur terre sont prêts à sacrifier l'ensemble de l'environnement terrestre à certains objectifs déterminés sur lesquels ils se focalisent en tout temps. La race humaine, plutôt que de rendre un hommage intégral à la nature, honore plutôt sa capacité à la manipuler à ses propres fins. Par conséquent, ceci engendre un système de réalité fondé sur la mani-pulation qui affaiblit gravement la dynamique inhérente du système.

> *Tout ce qui est créé par la manipulation doit être maintenu par la manipulation. Afin de préserver un tel système de réalité, un travail incessant s'avère indispensable, car il faut soutenir ce qui possède la capacité inhérente de se sustenter dans son état intégral.*

Un système de réalité doté de l'intégrité universelle s'alimente lui-même – comme l'affirmait Nikola Tesla. Parmi les civilisations universelles dont la nature est similaire à la vôtre, la plupart tirent leur combustible de sources passives illimitées : l'utilisation de cristaux par exemple, ou la récolte d'énergie de type solaire. Les choix que vous effectuez vous poussent à continuer à façonner la nature en vue de préserver et de vendre votre provision de combustibles. Ce désir de contrôler la nature plutôt que de collaborer avec elle restreint votre perception d'éventuelles alternatives, vous prive d'énergie libre et vous oblige à consommer des ressources naturelles. Le coût planétaire que provoque cette consommation ne peut être recouvré.

> *Les ressources naturelles de la Terre ne sont pas des produits destinés à votre consommation : ce sont les agents de votre préservation. Elles sont les entrepôts de stimuli élémentaux que la Terre emploie pour se régénérer. Les substances que vous croyez être des ressources naturelles propres à mettre en marché sont les moyens physiques pour la transmutation alchimique de poisons environnementaux. Elles constituent les conduits pour la communication de stimuli et de fréquences vibratoires qui assurent la stabilité de votre planète.*

Le fait de saigner les affluents élémentaux de la Terre revient à drainer le sang dans vos veines. Les deux organismes, le corps et la Terre, sont conçus pour réapprovisionner leurs constituants bruts avec modération en vue de leur survie. Vous pouvez leur en soutirer un litre, mais pas quatre. Si vous tarissez la Terre, la base de votre existence se déstabilise, et la Terre elle-même frémit. Il est tout à fait possible de mesurer les limites de l'épuisement et les rythmes de réapprovisionnement de toute ressource naturelle. Il s'agit de réflexions discrètes qui se retrouvent dans l'amplitude fréquentielle de chaque ressource élémentale qui s'épuise.

En ce moment même, votre cœur bat, votre sang circule dans vos veines, et votre corps digère et élimine selon une dynamique intégrale. Si vous souhaitez vous emparer du contrôle et inventer une meilleure façon pour votre cœur de battre, il vous faudra trouver par le fait même de meilleurs processus de circulation, de digestion et d'élimination. À moins de créer un système autonome intégral, toute manipulation singulière de la nature vous éloigne du bien-être et de la dynamique intrinsèque indispensables à la perpétuation du tout. C'est là ce qui distingue la compréhension des valeurs des êtres universels évolués et celle des êtres humains. Et en conséquence, c'est là ce qui distingue nos progrès technologiques et autres des vôtres. C'est également là la raison de vos vaines tentatives pour établir un contact avec des communautés illuminées ou la vie extraterrestre grâce à vos voyages dans l'espace et à votre technologie.

Les êtres hautement évolués qui souhaitent parachever une communauté physique avec vous attendent le moment où vos attitudes et votre réceptivité seront à point. La Terre demeure à ce jour une planète ravagée par la guerre et soumise à la pensée antagoniste et compétitive. Les visiteurs en provenance de l'Univers doivent soigneusement choisir le moment où ils se manifesteront et leur mode d'entrée sur terre. La décision concernant ces deux éléments est sujette à des considérations éthiques, sociales et politiques complexes. Nous ne souhaitons pas être capturés ou tués par un quelconque gouvernement, ni mis au zoo, ni voir des figurines en chocolat à notre effigie dans les confiseries.

Nous nous préoccupons surtout de concevoir une façon d'entrer qui soit non violente. Voilà qui n'est pas peu dire. À ce jour, nos rencontres nous ont démontré que la violation repose sur la perception et les convictions de celui qui perçoit. Advenant l'éventualité où des vaisseaux de l'espace pénétreraient l'atmosphère de la Terre avant que ne soit établie une confiance appropriée, ceux d'entre vous dont la pensée est régie par l'adversité et la catastrophe s'abandonneront fort probablement à la crainte, à l'angoisse, au chaos, et s'efforceront de nous concevoir comme « l'ennemi ».

Si nous, qui provenons d'autres dimensions, venions à la Terre sous la forme que nous avons dans notre état « indigène », nombre d'entre nous demeurerions imperceptibles. De plus, ceux qui seraient visibles auraient une apparence très différente de la vôtre. Si nous apparaissions sans mode linéaire, ou sans véhicule de transport, en affichant une vague ressemblance avec votre forme physique sinon aucune, votre logique et vos tolérances se verraient alors mises à l'épreuve. Étant naturelles pour nous, ces manifestations peuvent cependant s'avérer une agression pour vos facultés sensorielles et votre bien-être. Ce serait donc un geste violent envers un autre être. Une telle chose pourrait provoquer un choc si intense, qu'une réaction physique ou un traumatisme – telle une attaque cardiaque – pourraient en résulter. Peut-être croyez-vous que nous pouvons vous protéger d'une réaction physique violente au moment de notre apparition, mais nos valeurs nous permettent rarement de le faire. Le respect que nous éprouvons à l'égard de l'intégrité de votre système de réalité nous empêche de le manipuler ou d'interférer avec vos patterns de réactions organiques.

Parce que vous n'avez pas encore pris conscience de votre envergure, vous penserez sans doute, à notre arrivée, que nous sommes plus puissants que vous. Nous sommes évolués du point de vue de la manifestation d'une organisation des valeurs universelles *différente* de ce à quoi vous êtes habitués. Notre évolution naît de notre amour et de notre compréhension, non pas du pouvoir. Si vous nous considérez comme supérieurs, vous vous sentirez par le fait même inférieurs, médiocres, sur la défensive ou menacés. N'importe laquelle de ces réactions aurait un impact qui déroberait votre civilisation de son pouvoir. Nous ne sommes pas violents. Nous aspirons à vous nantir de puissance et à vous libérer afin que vous vous joigniez à nous sur le chemin de la réalisation du potentiel de notre univers commun.

Nous cherchons à pénétrer votre système de réalité en respectant vos perceptions du temps, de l'espace, de la logique, de la raison, de la beauté et de l'ordre naturel. Voilà pourquoi plusieurs d'entre nous qui jouent le rôle d'ambassadeurs du Grand Univers ont choisi de naître ici. C'est là le seul moyen que nous avons de rendre plein hommage à votre système de réalité et de dissiper les inquiétudes au sujet d'éventuelles violences. Le geste d'un être cosmique qui vient vivre sur terre en tant qu'être humain est clairement motivé par l'amour. Si nous ne vous aimons pas assez et ne vous respectons pas suffisamment pour *être* vous, comment pourrions-nous alors présumer vous connaître et vous servir ? La plupart d'entre nous ne démontrent aucune faculté extraordinaire et n'accomplissent pas de miracles, hormis ceux qui émanent de la clarté, de la compréhension, de la sagesse et de l'amour. Par notre vie en tant qu'êtres humains sur terre, nous espérons vous informer de votre nature multidimensionnelle et de la nature de l'Univers en suscitant votre compréhension, en catalysant la mémoire du savoir de votre âme et en démontrant *l'illumination sous votre propre image.*

Au fil de votre progrès vers la conscience universelle, la communication entre la Terre et d'autres dimensions du cosmos s'établit de plus en plus. Les peuples de la Terre ouvrent les portes de leur perception et de leur espoir. L'idée d'une réalité plus vaste germe en vous. Votre imaginaire collectif ainsi que vos rêves s'étendent jusqu'à nous inclure. Vos films et autres types de divertissements présentent des personnages doués d'une immense sagesse provenant de dimensions au-delà de la vôtre. Des années durant, vous avez posé des questions à droite et à gauche, et enfin, vous vous tournez vers là-haut ! Le quête d'intelligence extraterrestre devient une science au lieu de relever de la science-fiction. Nous sentons que vous nous libérez dans votre imaginaire et nous considérez peu à peu comme les êtres tangibles que nous sommes. Quel soulagement pour nous !

À mesure que votre rapport aux êtres cosmiques émerge du fantasme et de l'espoir, et devient conviction, nous sommes davantage dans vos pensées. Ce qui vous amène dans les nôtres. Et c'est là le début d'une relation intime.

20. Les rencontres extraterrestres involontaires sont-elles possibles ?

l n'est pas facile de traiter de votre confusion et de vos fausses conceptions au sujet des ovnis, de l'IET et des rencontres avec des extraterrestres. Une description sommaire de la dynamique des populations universelles est aussi impossible qu'une brève explication de la sociologie et de l'anthropologie culturelle de la vie sur terre. Néanmoins, le fait de vous offrir une vision cosmique des rencontres extraterrestres et de ceux qui les provoquent vous apportera une intuition ainsi que des contextes supplémentaires dans lesquels formuler vos questions et exprimer vos préoccupations.

─◦◦─

Cette notion voulant qu'une rencontre à un niveau quelconque pourrait être involontaire n'est que partiellement vraie. Chacun d'entre nous, en dépit de sa situation dans l'Univers, crée l'ensemble de son expérience depuis les ressources de son être – le Soi, l'âme, la fréquence, la valeur. Cependant, lorsque nous abdiquons ce privilège de création, intentionnellement, par ignorance, ou en nous délestant de la responsabilité pour nous-mêmes, nous consentons à ce que les créations d'autrui nous incluent.

─◦◦─

Si un chat s'apprête à bondir sur votre poitrine pendant votre sommeil, un vaste éventail de réactions s'offre à vous. Peut-être le pressentirez-vous et vous éveillerez-vous alors afin d'éviter l'interaction. Peut-être le soupçonnerez-vous, mais choisirez-vous de vous méfier de vos facultés sensorielles subtiles et de ne pas suivre votre intuition. Peut-être encore serez-vous trop profondément endormi ou trop fatigué pour réagir. Une fois que le chat aura bondi sur vous, peut-être votre stupéfaction sera-t-elle si grande que vous vous sentirez agressé. Peut-être vous mettrez-vous en colère, ou l'accepterez-vous avec humour comme un aspect du ballet cosmique qui vous appartient.

Le spectre de réactions s'offrant à vous est aussi vaste et présente le même privilège de choisir une attitude et un sens personnel lorsque vous recevez la visite impromptue d'un être du Grand Univers. Est-ce là une opportunité rare ? Une menace à votre vie ? Un événement qui vous laisse impuissant ? Une situation où vous êtes d'égal à égal ? Adopterez-vous l'approche anthropologique, journalistique, ethnocentrique ou celle d'un chercheur spirituel, ou serez-vous tels une victime, un historien, un découvreur, ou un chercheur de preuves ?

L'interaction croissante entre les humains et les êtres de l'Univers vous apporte une opportunité longuement attendue. Cependant, à court terme, les choses deviennent plus complexes pour nous. Il est faux de penser que ceux qui sont capables de vous rendre visite sont forcément plus illuminés que vous ; ou encore, qu'un vaisseau spatial est plus spirituellement sophistiqué qu'une Peugeot.

Les sociétés évoluées et illuminées de l'Univers sont autogouvernées d'un point de vue éthique grâce à leur compréhen-

sion de l'intégrité et de leur processus créatif multidimen-
sionnel. Leur sagesse exclut leur ingérence dans les actions
de ceux qui ont une évolution différente de la leur. Ils ne
s'imposent pas aux humains, pas plus qu'aux autres êtres,
qui eux, le font.

⤳⤲

Ceux qui provoquent des rencontres involontaires avec les humains sont effectivement peu nombreux. En raison de manipulations génétiques réalisées par leurs ancêtres dans le but de maîtriser les comportements qu'ils considèrent comme nuisibles à leur société, ces êtres possèdent, en esprit et du point de vue émotionnel, une individuation moindre que la majorité d'entre nous dans l'Univers. Les ressources subjectives et émotionnelles de leur population furent contrôlées jusqu'à l'extinction. De ce fait, ils sont incapables de percevoir que leurs actions portent atteinte à votre inviolabilité individuelle et à votre liberté. À cause des limitations artificielles pratiquées sur l'ensemble de leur caractère génétique, la descendance de cette manipulation a atteint un point critique quant à la perpétuation de leur race. Du fait que les humains sont les êtres qui leur ressemblent le plus avant leur manipulation génétique, ils sentent le besoin impératif de les étudier. Ils ne se rendent pas compte que les attributs qu'ils cherchent à récupérer sont ceux-là mêmes qu'ils briment lorsqu'ils s'imposent à vous.

Il est vital de comprendre que ces êtres ne sont pas maléfiques. Toutefois, le fait qu'ils ne sont ni émotifs ni doués pour les rapports sociaux pose problème. Ils n'ont nul besoin d'entrer subjectivement en rapport l'un avec l'autre, car ils ne sont pas différents les uns des autres sur le plan émotif. Ils adhèrent à la croyance que tous les êtres de l'Univers sont interdépendants. Par conséquent, ils en déduisent que les humains ont tacitement consenti à collaborer avec eux. Toute interaction avec celui-ci servant à l'approfondissement de leur compréhension leur apparaît comme un service rendu à l'Univers entier. Malgré qu'elles soient présentement mal conçues du point de vue du sens et de l'application, ces convictions reflètent certaines vérités essentielles à notre intégralisme multidimensionnel universel.

Puisqu'ils sont incapables de connaître les modes d'intelligence humaine, ces visiteurs attribuent votre résistance et votre peur vis-à-vis d'eux à une intelligence inférieure. Si vous aviez une intelligence plus évoluée, croient-ils, vous vous montreriez aussi curieux à leur sujet qu'ils le sont à votre égard, et vous souhaiteriez cette interaction. Leur étroitesse d'esprit les empêche de comprendre pourquoi vous ne reconnaissez pas que leur seule intention n'est que d'échanger de l'information et pourquoi vous refusez de coopérer. Ce qui à leurs yeux devrait constituer un assentiment naturel et spontané représente pour vous une sujétion involontaire. Plus important encore, ils ne saisissent pas que l'humilité soumise qu'enseignent nombre de vos religions, de vos institutions et de vos familles, et que les sentiments d'insuffisance découlant de la compétitivité et des iniquités sociales engendrent un sentiment d'infériorité chez la plupart des humains qui se retrouvent devant des êtres apparemment doués de pouvoirs et d'autorité.

Ils sous-estiment votre intelligence et, ce faisant, démontrent que les différences qui vous séparent expliquent votre infériorité. Cette notion d'inégalité entre les êtres s'appuie encore sur votre façon de vous traiter les uns les autres sur terre. Vous manipulez les moins intelligents et les défavorisés, ainsi que les autres espèces, et cela établit une résonance sympathique permettant à ces êtres de vous agresser au cœur même de votre système de réalité. Votre comportement s'aligne sur le leur. Les lois du magnétisme vibratoire sympathique expliquent le fait que vos sociétés sont liées mutuellement dans leurs conceptions fausses du pouvoir et de la domination.

Réfléchissez un peu au comportement de ceux qui s'adonnent à l'expérimentation sur des animaux et à leur dissection. Votre société juge normal de prendre comme sources d'information d'autres espèces dont les droits peuvent être sacrifiés au bien du plus grand nombre. Malheureusement, jusqu'à ce que vous atteigniez des degrés de compréhension plus avancés concernant votre corps, votre santé et la guérison, vous n'entreverrez pas d'autres voies dans le domaine de la recherche. Au cours des prochaines années, lorsque vous comprendrez mieux les questions de santé et de guérison énergétiques et vibratoires, vos systèmes de pensée actuels vous paraîtront tout à fait primitifs. Le fait d'employer d'autres espèces aux fins de la recherche perdra toute pertinence et deviendra inadmissible d'un point de vue spirituel.

Ceux qui, dans le cosmos, souhaitent imposer leur programme au détriment du vôtre ne sont pas plus antagonistes que vos frères humains qui cherchent à faire de même. Ils semblent plus menaçants parce que vous n'arrivez pas à les saisir. Vous ne connaissez pas leurs jeux comme vous êtes au fait des manipulations du pouvoir et du contrôle dans votre propre système de réalité. Leur apparence, physique et conceptuelle, met votre notion de la réalité en danger ; leur technologie et leurs facultés psychiques peuvent intimider. Plusieurs d'entre vous se perçoivent comme impuissants devant ces inconnus et se sentent fondamentalement en danger lorsqu'ils les rencontrent. Puisque la plupart des gens sur terre ont été éduqués suivant le modèle compétitif, il leur est difficile de comprendre qu'il n'est pas nécessaire de se diminuer pour faire face à un univers plus évolué qu'ils ne le croyaient.

Que pouvons-nous faire, nous qui sommes plus illuminés, lorsque l'interprétation des autres porte atteinte au libre arbitre et à l'intégrité émotive et subjective des humains et d'autres êtres ? Leur comportement nous préoccupe grandement, mais jusqu'ici, nous n'avons pas réussi à provoquer leur illumination à la nature de l'individuation émotionnelle ni même à les convaincre de se comporter autrement. Ils n'ont aucune ressource pour saisir l'inviolabilité de votre libre arbitre individuel et la vulnérabilité de votre identité émotionnelle. Il est difficile pour certaines entités d'évaluer avec justesse ce dont elles n'ont pas fait l'expérience. Nous espérons que vous garderez cela à l'esprit lorsque votre tour viendra de rencontrer l'inconnu.

Nous cherchons à illuminer plutôt qu'à contrôler ces êtres moins évolués – tout comme nous visons le même but avec les humains – et, pour cette raison, nous avons choisi de les seconder dans ces rencontres. Nous refusons de participer *directement* à l'action envahissante de ceux qui entreprennent ces missions. Notre rôle consiste à minimiser l'ingérence, le malaise ou l'agression que vous subissez au cours de ces rencontres. Nous tentons de servir de facilitateurs, de transmettre vos pensées de façon qu'elles deviennent compréhensibles pour eux, et de répondre à vos sentiments du mieux que nous le pouvons dans les présentes circonstances. Notre intention, lorsque nous les secondons, est de faire progresser leur compréhension de votre nature et leur respect à votre égard aussi rapidement que possible afin de mettre un terme à cette ère d'exploration non consentie. Nous n'acceptons pas d'entrer dans la polarité avec eux, nous exprimons notre intégrité en protégeant la vôtre. Il est rare que ces rencontres se déroulent sans que l'un d'entre nous ne soit présent. Une variété d'opinions existe dans le Grand Univers quant à savoir si nous devrions vous assister dans une action que nous ne sanctionnons pas. Pour ceux d'entre nous appartenant à des sociétés illuminées et ayant vécu comme humains, ou étant venus en aide aux humains, la question ne se pose pas. Nous savons que les débats théoriques ou l'abstention par principe ne sont pas des réactions appropriées à une terreur immédiate et vraie, à la douleur, à la faim, à la menace ou à la confusion. Nous préférerions ne pas seconder ceux qui vous entraînent contre votre gré, mais vous seriez alors de ce fait abandonnés à vous-mêmes. Cela laisserait vos agresseurs sans feed-back qui induise l'autocorrection et l'alignement universel.

Percevez plutôt cette petite population envahissante comme une bande d'adolescents possédant voitures, comptes en banque et technologies supérieures ; ils sont doués d'un objectif commun et d'autant d'énergie consacrée à réprimer leurs émotions que vos adolescents en dépensent à les exprimer. L'adolescence est une période de développement durant laquelle il est critique de maintenir la communication. Si nous polarisons ces êtres au stade présent, l'énergie de révolte et de rejet propre à cette époque de la vie pourrait nuire à d'éventuels dialogues dans l'avenir. Si nous réussissons à ménager les tolérances mutuelles et les voies de communication, nous nous assurons de potentiels qui serviront à des rapports à long terme.

Vous vous désolez de l'ignorance profonde de ces êtres. Sachez toutefois que les êtres universels se sentent pareillement dans une impasse face à leurs tentatives de provoquer l'illumination des humains quant à la nature de la *liberté*. Vous vous entretuez en son nom ! Beaucoup d'entre vous n'ont pas encore conscience d'être un avec tous. Vous ne comprenez pas que d'éliminer certaines parties de vous-même au lieu de les inclure et de les assimiler à votre amour, *restreint* votre liberté et obstrue votre illumination.

Les êtres non illuminés qui tentent d'acquérir un pouvoir sur vous ne sont qu'une minuscule population du Grand Univers. Il serait totalement inapproprié de tenter de les dissuader, au même titre qu'il serait inopportun d'essayer de vous empêcher de produire des bébés accros à la cocaïne, de vous maltraiter les uns les autres, ou de polluer l'espace interstellaire que nous partageons. Nous souhaitons plutôt vous inspirer à des choix plus édifiants en nous joignant à vous et en vous secondant dans votre illumination. À un certain point de vue, nous sommes tous non illuminés. La liberté d'expérimenter et d'apprendre par l'expérience directe constitue notre façon à tous d'avancer vers l'illumination. Nous sommes confiants que l'Univers nous soutiendra dans ce processus de réalisation de soi.

Le plus grand pourcentage des interactions entre les humains et les êtres du Grand Univers est positif, propice à la guérison et à l'expansion. Malheureusement, on parle beaucoup moins de ces expériences. Parce qu'elles irradient l'amour, elles s'assimilent si naturellement à vos cœurs et à vos esprits que la plupart des gens ne se rendent pas compte d'avoir participé à la réalité multidimensionnelle et échangé avec des êtres universels. Sur terre, on est davantage enclins à définir ces expériences comme étant de la nature du rêve, de la méditation, de la vision, de l'expérience mystique ou de la rêverie. Si vous vous identifiez aux expériences multidimensionnelles et en discutez, vous vous nantissez de pouvoir en unifiant votre être à votre comportement. Vous informez également l'humanité des formes de vie intelligente qui vous appuient et vous entourent dans l'Univers.

21. Où trouver les preuves attestant que nous sommes tous Un ?

*S*i vous cherchez la preuve qui vous démontrera que vous ne faites qu'un, vous vous assujettirez à cette regrettable expression : « Montrez-moi la montagne, et j'y accorderai foi. » Énoncé qui appelle la réponse : « Ayez foi, et vous verrez la montagne. » Toute connaissance devient évidente lorsque l'identité s'aligne sur la Totalité de ce qui est. Seule l'expérience directe vous mènera au-delà de la foi ou vers une étreinte intellectuelle de l'unité. Le fait que des milliards de gens font l'expérience simultanée de réalités uniques et que le monde ne s'est pas encore effondré à cause de la discontinuité montre une coopération au sein d'un système unifié dont la tolérance et la variabilité sont immenses. Parce que vous pouvez découvrir en vous mon expérience et que je peux trouver la vôtre en moi, une démonstration supplémentaire est ainsi faite attestant de l'unité de toutes choses malgré leur apparence différenciée.

Pour l'instant, imaginez que la Totalité de ce qui est, ou Dieu, est un poste radiophonique qui peut à la fois recevoir et transmettre. Il possède un mécanisme intégré. Imaginez que ce poste cherche à connaître le plein potentiel de chacun de ses composants, sans accorder la priorité à aucun d'entre eux ni en ignorer un seul. À cette fin, le poste devrait libérer chacun de ses composants de son isolement et établir avec lui des relations au sein de l'ensemble. Il devrait également munir chaque composant d'une capacité d'expression autonome, de sorte qu'ils puissent tous s'explorer simultanément, ainsi que leur relation aux autres et leur nature collective de poste radiophonique. Il y aurait bientôt multiplication de fils conducteurs, de transistors, de boutons et de cadrans, chacun se livrant à l'exploration de sa nature, mû par une motivation intrinsèque de réaliser son potentiel et de se connaître lui-même au sein du vaste ensemble auquel il appartient.

Chaque être dans l'Univers constitue un aspect unique de la Source ; il bénéficie d'une identité autonome de manière à pouvoir exprimer simultanément et librement son potentiel par rapport à tout ce qui est.

Les êtres humains sont nantis des capacités, et sujets aux dilemmes, qui sont l'apanage du libre arbitre et de l'autonomie, ainsi que de la motivation de réaliser leur potentiel individuel et collectif. En termes de dimensions universelles d'origine, vous êtes tous un, parcelles d'un ensemble intégral. Selon les coordonnées dimensionnelles et de conscience actuelles, vous vous percevez comme séparé l'un de l'autre et comme des manifestations de votre propre fréquence/valeur dans les royaumes végétal, animal et minéral. Votre nature dans son ensemble ne peut effectivement être découverte que lorsque chaque fragment de vous-même est inclus – et vous-même en tant que partie du tout. Nul composant du poste de radio ne peut accomplir ce que fait le poste sans le concours des autres composants. Jusqu'à ce que vous preniez conscience de l'interdépendance de l'ensemble, vous vous efforcerez de trouver votre accomplissement en tant que fil, bouton, cadran ou transistor. Ce type d'effort risque de vous laisser insatisfait ou déconnecté l'un de l'autre et de la Source. Pendant que la radio humaine rassemble ses pièces, vous en tant qu'individu n'êtes pas limité par le rythme suivant lequel les autres procèdent à l'autodécouverte. Il n'est pas nécessaire que tous atteignent l'illumination au même moment pour que *vous* vous réalisiez. Néanmoins, tous doivent éventuellement atteindre l'illumination pour que *l'humanité* se réalise.

Cette métaphore employant un poste radiophonique ne suggère aucunement une nature mécanique à la Source, à Dieu ou à la Totalité de ce qui est. Grâce à ce mécanisme de démontage et de reconstitution des pièces formant l'ensemble, Dieu fait l'expérience des maintes facettes de sa nature, simultanément et dans l'infinitude de leurs rapports les unes avec les autres. Tout au long de ce processus, la Totalité de ce qui est se révèle, se crée et trouve son expression. Le cheminement de Dieu vers sa propre réalisation se reflète dans l'expérience de chaque partie indivi-duée – chaque être dans l'Univers – au fil de la découverte de notre nature, de l'exploration de notre valeur et de notre prise de conscience d'être l'expression de Dieu.

<><>

Chaque être dans l'Univers, qu'il soit humain ou autre, constitue une constellation unique de la Totalité de ce qui est. Chacun de nous est un composite comportant chaque valeur dans l'Univers. Chaque personne contient ainsi tous les gens, et tous les êtres incarnés renferment l'Univers. Les valeurs com-prises dans la complétude de n'importe lequel d'entre nous s'ex-priment dans maintes dimensions de réalité. En acceptant notre multidimensionnalité, nous pouvons expérimenter la complétude de notre identité essentielle et la complexité de l'unité de la Totalité de ce qui est. Nous comportons tous les mêmes fré-

quences et valeurs, cependant aucun être ne constelle les valeurs de la même manière. Chacun d'entre nous assemblera les pièces de l'ensemble dans un ordre différent ou selon un continuum de conscience autre, généré depuis sa propre valeur axiale. Cette combinaison de valeurs est à l'Univers ce que le pool génétique est à l'humanité. Le nombre de constellations distinctes des valeurs essentielles peut être infini. Les entités dont les ondes sont en résonance partageront une profonde affinité et une intense camaraderie. Ceci est vrai pour tous les êtres, à toutes les époques, partout dans l'Univers.

Même si toutes nos vies émanent d'une Source unique qui nous motive intrinsèquement à atteindre la réalisation de notre unicité, il est possible que votre présente vie ne vous semble pas avoir pour objectif et dessein l'accomplissement de l'illumination. En dépit des apparences linéaires et temporelles, chaque vie est créée dans le but d'exprimer l'illumination. Il est toutefois rare que chacune de vos vies débouche sur la pleine réalisation de votre être. Le plus souvent, la réalisation de soi est exprimée dans l'amalgame de toutes les manifestations et de toutes les expériences de vie émanant de l'âme. Votre expérience de cette fusion du Soi et de l'âme se reproduit chaque fois que vous vous trouvez en possession d'un savoir qui ne résulte pas de votre présente expérience de vie.

Une fois que vous êtes aligné sur le plan universel et possédez des yeux aptes à percevoir l'unité, elle vous apparaît à tous les niveaux d'existence, depuis chaque angle de vision, dans chaque système de réalité.

22- Que doit-on faire

pour changer le monde ?

*L*a méthode alchimique qui changera le monde consiste à vous aligner sur les valeurs universelles. En vue d'atteindre à cet alignement depuis votre situation, quelle qu'elle soit, employez toute discipline centrée sur l'amour, ou engagez-vous à aborder chaque instant avec amour, authenticité, et une ouverture sur la découverte de soi.

Tout ce en quoi l'humanité insuffle une énergie acquiert réalité. Tout ce qui possède une valeur universelle et en quoi l'humanité insuffle une énergie suscite les ressources universelles.

La création de toute chose exprimant des valeurs désalignées ou inverties diffuse ses stimuli dans le monde, ce qui entrave les réponses du Grand Univers qui désire vous assister. Lorsque vous vous rendez compte qu'une construction collective de la réalité désalignée a été engendrée, il est temps de créer un moyen ou un instrument susceptible de corriger le problème. S'il s'agit d'une création découlant de valeurs universelles, vous pouvez puiser les ressources universelles et nous impliquer dans votre processus de guérison. Avec un tel appui, même un nombre infime d'entre vous pourra émettre des stimuli puissants qui serviront à la guérison planétaire.

Vos premiers grands psychologues ont offert un excellent exemple illustrant la création d'un moyen visant à corriger l'inversion et le désalignement de valeurs universelles. Cette méthode consiste en un système conceptuel complet à l'intérieur duquel de nouveaux instruments peuvent être continuellement créés pour traiter les désalignements de la conscience innés ou acquis. En incluant les dimensions spirituelles et transpersonnelles de l'identité humaine, le domaine de la psychologie s'est acquis le statut de médium universel, car il permet aux êtres universels de s'impliquer dans vos processus et de faciliter votre rétablissement. Bien que la psychologie n'ait pas encore hiérarchisé adéquatement certaines valeurs, quelques-uns de ses meilleurs instruments sont aptes à vous aligner sur des valeurs universelles et à vous mettre en contact avec les ressources de votre âme.

L'archaïque pratique de la sorcellerie comportait une dimension psychologique implicite, de même que la pensée de Platon et d'Aristote. Cependant, la réalité psychologique ne s'est pas intégrée à la pensée populaire humaine. Seuls les travaux de Sigmund Freud introduisirent la réalité psychologique dans la perspective populaire. En réponse à une requête inspirée de sa part, Freud eut une intuition – une connaissance directe – de valeurs qui n'avaient pas encore été assimilées à la conscience humaine. Suite à cette intuition, il offrit à l'humanité un stimulus qui servit à étendre sa conscience de façon à inclure désormais la psychologie. Jusqu'à ce que les gens commencent à expérimenter en usant de ce filtre et à faire l'expérience de sa valeur, la psychologie ne comportait aucune réalité aux yeux du monde moderne. Carl Jung introduisit le concept de collectif humain dans le modèle psychologique et intégra ainsi la psychologie à la conscience humaine collective. Avec l'appui des travaux des précurseurs de la Préhistoire et de l'Antiquité, Freud, Jung et les innovateurs qui leur succédèrent formèrent un collectif qui réussit à impliquer une portion suffisante de la conscience humaine pour accorder une réalité à la psychologie. Dès lors que les valeurs transpersonnelles furent ajoutées à la théorie psychologique, celle-ci put enfin devenir un médium/méthode de guérison universellement appuyé.

À mesure que vous évoluez vers des amplitudes fréquentielles supérieures et vers la transmutation de la conscience humaine, plusieurs instruments et modes d'actions issus de la psychologie qui se sont jusque-là avérés précieux pour votre *transition* et votre *transformation* deviendront alors désuets. Les instruments appartenant à une étape particulière pourraient devenir les obstacles de l'étape subséquente. La création et l'instauration de systèmes de guérison personnels et sociaux pour lesquels se forment présentement des collectifs ne requerront pas plusieurs générations. La conscience du monde moderne est beaucoup plus avancée qu'à l'époque où Freud entreprit ses travaux. Votre besoin est de nature consciente et il est considérable. Par ailleurs, le temps est venu.

Tous vos systèmes sociaux requièrent aujourd'hui la création de processus de guérison. Parce que cette transformation ne compromettra qu'un petit nombre d'intérêts économiques, le système éducatif est en soi accessible à cette métamorphose. Vous êtes mis au défi de réinventer l'éducation afin qu'elle puisse désormais servir d'instrument pour corriger le désalignement humain et nantir de pouvoir le potentiel humain. Pour ce faire, il faudra la concevoir comme un moyen de vous aligner sur des valeurs universelles. Diverses disciplines seront ainsi unifiées et transformeront l'éducation que votre civilisation a promue et jugée comme seul apprentissage valide.

En vous lançant dans la quête de valeurs universelles, n'ayez crainte de trébucher sur des valeurs morales conflictuelles établies parmi vous. Les valeurs universelles ne sont pas conflictuelles. Elles sont plus fondamentales que la morale dualiste. Si les valeurs se heurtent au lieu de s'unifier, alors il ne s'agit pas de valeurs universelles : il vous faudra simplifier davantage.

De la même manière que l'avènement de la psychologie illustre la création d'une réalité intégrale, la saga des bisons en Amérique illustre comment une réalité à laquelle la réponse humaine n'insuffle aucune énergie peut disparaître. Avant 1860, on comptait de 50 à 60 millions de bisons. À la suite du massacre dont ils furent victimes, moins d'une génération plus tard, soit vers 1886, leur nombre fut réduit à 500. Le bison fut abandonné, il sombra dans l'oubli et devint une simple légende. Si certaines personnes n'avaient pas réagi à cette perte imminente et consacré leur énergie à rétablir la relation intégrale avec ces êtres sous forme animale, le bison d'Amérique aurait aujourd'hui perdu toute réalité. Puisque peu de gens ont jamais vu un bison d'Amérique ni même pensé à lui, quelle différence aurait fait sa disparition de la surface de la Terre ?

L'abdication des valeurs universelles se situe à la limite du tolérable dans l'expérimentation progressive. Cependant, elle nuit considérablement à l'intégrité de votre réalité manifestée. La même fréquence/valeur peut exister chez d'autres espèces à l'intérieur de divers royaumes sur terre. Toutefois, la disparition soudaine du bison signifierait la perte d'une vibration dans le OM symphonique de la Terre – ce champ de résonances vibratoires qui animent la Terre. Comme si une grande horloge sonnait minuit avec onze carillons réels et un autre, imaginé. Semblable à un membre fantôme, la valeur révélée sous la forme du bison ne peut être ressentie que par ceux qui ont déjà eu une connexion consciente avec ce dernier.

~∽∽~

Chacune des incarnations de la vie apporte à la Terre une valeur de la Totalité de ce qui est. Si ce n'était de leurs existences terrestres, ces valeurs ne vous seraient accessibles qu'à travers l'expérience intellectuelle, méditative ou par la révélation. La disparition d'une espèce, peu importe laquelle, équivaut à la perte d'une valeur pour votre monde. Elle produit une discontinuité dans votre multidimensionnalité et affaiblit l'intégrité de votre réalité planétaire. Seules les valeurs désalignées et inverties tels la violence, le manque de respect, la manipulation et la malhonnêteté sont vouées à l'extinction. La préservation et le respect de chaque fréquence et valeur universelle restent essentiels à votre bien-être humain et planétaire.

~∽∽~

La perte de valeurs essentielles et la douleur qu'engendrent les valeurs inverties et désalignées poussent plusieurs personnes à vivre dans leur esprit ou dans des états altérés. Ce que vous estimez le plus et aspirez à vivre ne se trouve pas autrement à l'heure actuelle.

La planète Terre peut vous paraître vivre dans le chaos. Ne laissez pas cette vision obnubiler votre esprit. Si vous êtes prêt à actualiser l'inspiration, vous obtiendrez tout ce dont vous aurez besoin au moment opportun. Il y a quelques années, lorsque la compréhension de cet état appelé « chaos » fut utile, une discipline se nommant *théorie du chaos* apparut, ainsi que les théoriciens pour l'étudier. Ceux qui travaillent au développement de ce domaine sur votre planète ont pris conscience du fait que le chaos n'est pas anormal ; il fait partie intégrante de la nature.

Tous les processus de la vie sur terre renvoient à la réalisation ou à la transformation. Et tout changement majeur implique le chaos, un état naturel propre à l'énergie libérée depuis un pattern collectif ou subjectif et qui ne s'est pas encore refocalisée avec intégrité. Le chaos est également un état produit et habité par des êtres ayant effectué des adaptations qu'ils ne peuvent plus maintenir. Leur inaptitude à continuer à se conformer à ces autorestrictions donne naissance à l'anarchie au sein de leur constellation énergétique. Le bouleversement sera également produit dans les environnements que ces êtres sous-tendent au cours de leurs ajustements autorestrictifs.

La promotion et le soutien d'une nouvelle hiérarchie des valeurs constituent la clef qui permettra de supporter le désordre immense résultant de votre transformation sociale. Concentrez-vous sur le fait « d'être », plutôt que sur le fait « d'avoir ». Cette approche ne mettra pas fin à l'entreprise et à l'acquisition, mais assurera leur intégrité et leur responsabilité sociale. Vous êtes tous appelés à revoir les structures de votre société en vue d'un fonctionnement à des degrés supérieurs.

Les structures existantes doivent être maintenues, puisque la continuité de structure empêche la désorientation. Lorsque de nouvelles fonctions deviennent intégrales, les transformations structurales requises apparaissent clairement à tous et sont mises en marche sur le champ. Le fait d'imaginer que tout ce que vous faites sera désormais accompli différemment garantit presque à coup sûr l'intensification de grandes perturbations personnelles et sociales. Le fait d'imaginer que plusieurs choses resteront les mêmes, tout en étant douées d'une compréhension et d'une intégrité plus vastes, fournira un terrain stable propre à la transformation.

Comment ces changements pourront-ils avoir lieu, puisque la présente dynamique économique semble proscrire le dialogue public, la créativité et la conscience sociale ? La plupart d'entre vous semblent croire que cette directive est incrustée dans leur système planétaire à un point tel que sa dynamique ne peut être stoppée. La dynamique économique peut être arrêtée ; elle est simplement de forme circulaire. Pour percer le cercle et libérer son énergie, il est seulement besoin de s'aligner sur des valeurs supérieures – *être* plutôt qu'*avoir* ; *s'aligner* plutôt qu'*entrer en compétition* ; *soutenir* plutôt que *contrôler*. L'envergure de votre population transformationnelle est déjà suffisante pour accomplir ces changements et percer le cercle économique. Des systèmes de troc d'une grande efficacité constituent les signes précurseurs d'une cohésion sociale dépassant le modèle économique existant. En redéfinissant les produits et les services dont vous avez besoin et en élaborant les moyens intégraux pour vous les procurer, vous aurez inventé un médium de guérison sociale soutenu universellement. Le cercle économique pourra alors se transformer.

―∽∾―

Le changement et le progrès surviennent lorsqu'un certain nombre d'entre vous qui, auparavant, maintenaient un comportement de forme circulaire, élèvent leur parcours. Arrivés à un point bien connu sur votre trajet autour du cercle, vous reconnaissez que perpétuer un tel parcours signifierait une répétition sans fin. À ce moment-là, vous faites un choix supérieur à ceux du passé et vous vous libérez de la récurrence circulaire. Le cercle est désormais percé et devient une spirale. La transformation d'une société dépend de ceux qui possèdent la force et le courage de se dégager du cercle et de produire encore... et encore des spirales vers des niveaux supérieurs de choix et d'expression. Éventuellement, chacune de ces spirales unira chaque dimension de réalité à la suivante. Une personne ayant

atteint la réalisation de soi vit au cœur d'une éternelle spirale
d'accès universel et d'expériences intégrales.

La croissance consiste à progresser dans votre compréhension
des valeurs. Chaque cercle et chaque spirale de conscience
constitue la « vérité » de ceux qui lui accordent une valeur. Les
gens occupent un cercle parce que leurs fréquences/valeurs
requièrent qu'ils ouvrent un chemin au travers de cet état
d'existence peu illuminé – faisant en sorte d'amener cet état au
sein du collectif à l'illumination. Bien que nombre de gens se
cantonnent dans leurs positions et perdent le contact avec le
motif que leur âme a d'y être, ils habitent néanmoins leurs
cercles afin de servir l'humanité ainsi qu'eux-mêmes.

Il existe des cercles et des spirales exprimant toutes les valeurs
imaginables. Ceux qui s'accrochent à la désuétude et ceux qui
aspirent à la nouveauté se côtoient au quotidien, dans les bus, les
restaurants, de par les frontières internationales et philosophiques. L'aspect ancien d'une valeur et l'aspect nouveau d'une
autre vivent ensemble chez le même individu. Cette personne
appartient-elle à l'ancien ou au nouveau ? Ce qui est ancien pour
l'un sera nouveau pour l'autre. Il faut se souvenir de ce fait et le
respecter. La vie englobe toutes ces réalités relatives. Depuis toujours.

Ce qui change à l'heure actuelle dans le monde est l'envergure de
la conscience humaine et la compréhension de la nature de la
personne. Appuyés par des modifications dans les amplitudes fréquentielles et le magnétisme planétaire, un nombre croissant de
gens prennent conscience de leur nature multidimensionnelle et
des valeurs universelles. Un si grand nombre d'entre vous étendent leur conscience, que la disparité entre les valeurs sociales et
les valeurs essentielles nécessite réconciliation. Voilà pourquoi

cette époque-ci s'avère particulièrement éprouvante, créatrice et transformatrice pour la plupart d'entre vous.

La transformation ne surviendra pas en substituant un cercle limité à un autre. Tout cercle qui tourne et tourne encore sans s'élever vers une expression supérieure deviendra rapidement un système limité et sombrera dans un piège. Ne savez-vous pas encore qu'il reste toujours davantage à découvrir, que chaque compréhension atteinte mènera à une compréhension supérieure du même objet ? D'aucuns nomment ce processus maturation, d'autres l'appellent vieillissement, quelques autres encore, conscience en expansion. Désignez-le comme vous le souhaitez. De toute manière, chaque être dans l'Univers en fera l'expérience. Malgré cette expérience commune, certains individus et courants idéologiques donnent des réponses fixes à des questions progressives et insistent pour situer la nature multidimensionnelle de la vie à l'intérieur de trois dimensions. Si vous avez affronté les défis qui découlent de l'abandon du contrôle au profit d'une direction intérieure, vous comprendrez facilement pourquoi ces gens trouvent confortable et sécurisant de placer la réalité à l'intérieur des limites intellectuelles et spirituelles d'un cercle fermé. Par innocence, ou par ignorance, telle une dévotion désalignée par exemple, ces gens réduisent leur expérience afin de protéger leurs convictions et leurs objectifs immédiats.

Il est plausible que les enfants qui furent contraints de se conformer aux systèmes scolaire, religieux et conceptuel de prédécesseurs non illuminés aient mesuré la valeur et le sens de leur vie par rapport à ces systèmes et se soient investis dans leur perpétuation. Pour ceux qui ont évolué au fil des spirales édifiantes, ce comportement relève de l'aveuglement. Pourtant, il reste valide à l'intérieur du champ de perception de ceux qui s'y restreignent. Et de ce fait, il se mérite le respect de par l'Univers.

> *L'esprit du chercheur du Nouvel Âge est le même que celui qui habite le fondamentaliste. Ils semblent tous deux situés à des pôles opposés, mais sont mus par la dévotion et l'aspiration à réaliser l'union avec la Source. L'un et l'autre cherchent à vivre leur vie de la manière qu'ils croient apte à les aligner sur leur Dieu.*

Certains tournent autour du même cercle des années durant. Ils ont un travail qui ne leur procure aucun plaisir et auquel ils apportent très peu de leur valeur essentielle. D'autres individus brisent le cercle et deviennent une spirale qui tourbillonne vers le haut, redéfinissant ainsi leur sécurité comme quelque chose qui assure leur plénitude de cœur et leur intégrité. Un tel saut dans le vide n'est pas peu dire dans une société où les êtres dépendent de l'approbation d'autrui – plutôt que de l'amour et de la compréhension mutuelle – dans leur poursuite du succès et de l'acquisition. Plusieurs personnes tentent le grand saut, mais comme aucun terrain ne se présente pour amortir le choc, elles perdent confiance en leurs instincts et en leurs inspirations. Ceux qui arrivent à le faire, et qui réussissent à prendre leur envol jusqu'à ce qu'ils atteignent une destination, trouveront toujours un terrain où se tenir. On les appelle des explorateurs. Sans savoir ce qui les attend, ils savent qu'ils doivent se lancer dans le vide afin de vivre ce qui préservera leur intégrité.

L'incertitude de l'avenir inquiète la plupart des gens. Ils cherchent à élaborer une idéologie et projettent une image du degré subséquent avant même d'y arriver, le tout dans le but de se sécuriser. Ainsi, lorsque de nouveaux explorateurs se lancent à la découverte de terres inexplorées et tentent de décrire des destinations où ils ne sont pas encore parvenus, ils risquent de formuler des dogmes et des idéologies qui éventuellement s'effondreront en de nouveaux cercles de contraintes.

Ce qu'on nomme à l'heure actuelle le mouvement Nouvel Âge court le risque de se délimiter en un tel cercle de contraintes. Au nom de la conscience supérieure, le matérialisme compétitif sera reformulé et revêtu d'un costume neuf. Seul est besoin d'identifier les problèmes de la majorité compétitive qui se reproduisent au sein du système économique propre au mouvement Nouvel Âge pour comprendre que la spirale de ce dernier pourrait facilement sombrer en un autre cercle d'autorestriction. Le Nouvel Âge, comme toute autre voie, produira des spirales ouvertes seulement s'il transcende la manipulation et la compétition, s'il définit ses rôles et non pas ses visées, et s'il se concentre sur l'intégrité, la simplicité et le service.

Afin de se mettre à l'écoute de la vastitude de la nature, d'élaborer des spirales plutôt que des cercles et d'apprendre à faire le grand saut, l'humanité doit se procurer de nouveaux savoirs et de nouvelles manières de percevoir. Il est temps pour vous d'intégrer la connaissance offerte dans ces missives et dans les nombreux autres ouvrages et enseignements actuellement disponibles dans le monde. Cette information ne se place pas sous les pôles de la religion ou de la science. Il s'agit d'un savoir de la nature multidimensionnelle de la réalité incluant la religion et la science. C'est là une sagesse pratique propre à une âme douée.

— ∽∾ —

Afin de pouvoir prendre votre envol, vous devez quitter le sol où vous vous tenez. L'humanité a conçu les bonds en avant afin de se préparer à les faire. Lorsque le temps viendra – lorsque « faire le bond » deviendra plus important que de mar-

cher sur la voie linéaire ou de recommencer le cercle –, l'huma-
nité ne sera qu'à un pas de l'envol. Ce processus est vital à
l'Univers entier. Les amplitudes de conscience qui unifient tous
les états d'existence et qui accordent à un être de quelque sys-
tème de réalité que ce soit l'accès à tous les autres se trouvent
au cœur même du saut.

L'art de se lancer doit être enseigné. L'éducation, la physique, la
sociologie, la psychologie, la spiritualité, l'anthropologie et la
médecine comptent parmi les systèmes de connaissance prêts au
renouvellement. Ces derniers s'étendent pour ouvrir leurs cercles à
la conscience en expansion, mais doivent s'ouvrir en spirale. Ils
doivent faire le saut… et l'enseigner.

Il n'y a jamais eu d'époque sur terre où la pression sur les cercles
statiques et l'étendue des spirales furent si importantes. L'immense
spirale de conscience s'étend. Chacun dépend de l'intégrité de
l'ensemble. Un point de dynamisme critique sera bientôt atteint.
Lorsqu'un nombre suffisant de spirales auront l'élan requis pour
entraîner les cercles fermés restants, l'entière spirale se reposition-
nera. Vous vous tenez à l'orée de cette dynamique transformationnelle. Son achèvement sera la transmutation.

Ceux qui habitent des cercles entraînés par la dynamique des spirales peuvent n'avoir aucune conscience de leur situation présente, passée, ni même de leur mouvement. Peut-être
reproduiront-ils le même cercle dans un contexte plus vaste et
continueront-ils à y vivre comme auparavant, sans remarquer
aucun changement. Voilà comment un système de réalité pro-
gresse au fil de la transmutation sans imposer ses potentialités à
ceux qui choisissent de ne pas participer. De cette façon, la nature
du système respecte l'intégrité de chaque individu de manière
égale et y répond.

La question qui ne trouve aucune réponse est la suivante : la population transformationnelle aura-t-elle des répercussions suffisantes pour magnétiser l'humanité entière vers la transmutation planétaire ? Ou encore, étendra-t-elle sa conscience individuelle et collective ainsi que les facteurs dimensionnels de la Terre en créant un contexte de réalité adjacent pour ceux qui sont prêts à évoluer vers la conscience universelle ?

Nul ne peut supputer le parcours de l'autre sur la voie de l'auto-création. Le papillon s'est créé sous forme de chenille pour exprimer la nature infinie de la transmutation. Idéalement, aucun d'entre vous ne sera privé de la magie et du défi que comporte la découverte en temps opportun. Chacun d'entre vous évolue dans le temps qui lui est approprié. Chacun de vous fait du mieux qu'il le peut – non pas du mieux qu'il puisse envisager ou imaginer, mais du mieux qu'il peut faire en considérant les variables de conscience personnelle et les réalisations dans le domaine de l'amour. Le progrès de votre monde n'exige pas de bousculer qui que ce soit. Ceux qui ont besoin d'une petite poussée se mettront dans la position pour la recevoir. D'autres qui requièrent l'innovation innoveront. Les individus qui souhaitent s'attacher aux terrains familiers afin d'alimenter leur confiance en eux ou leur créativité s'y attacheront – et transformeront éventuellement ce terrain pour les autres. Les contributions de ceux qui apparaissent les plus lents ne seront pas exigées jusqu'à ce que ceux-ci soient prêts à les apporter.

Si vous ne percevez pas la voie, peut-être se crée-t-elle tout de même devant vous. Ayez confiance en la nature des choses. Consentez-y. On n'exige pas de vous une foi aveugle. Laissez-la jaillir de ce que vous avez vu et concrètement senti ; de ce qui vous fait vibrer comme un carillon de vérité ou vous donne la chair de poule ; de la transformation qui devient flagrante. Inutile de tenter de réparer le monde : il n'est pas défectueux ! Comme un cœur qui semble brisé, il est aux prises avec la transformation. Ses fragments tomberont dans les abysses de l'inconnu. Depuis ce lieu de découverte, il se régénérera avec force et compassion, et pourra désormais accéder à des hauteurs inespérées. Seul est besoin de préserver un environnement positif et confiant afin de soutenir cette transformation de votre vie et de toute vie. Il est vital à l'ensemble de l'Univers que chacun de vous atteigne un amour et une compréhension plus vastes. Commencez là où vous êtes. Ayez conscience de créer le monde.

Voilà le défi de l'ère de réalisme inspiré qui approche.

LEXIQUE

ALIGNEMENT DE L'ÂME : interlude ou état temporaire où les pensées, les intentions et les attitudes appartenant à une identité expriment la nature de son âme. L'alignement peut être le résultat d'une intention et/ou d'une pratique consciente ; il peut aussi être le résultat spontané d'un assentiment inconscient.

ÂME : la manifestation séminale d'une fréquence/valeur responsable des personnalisations/personnalités, telle l'identité, et de la prise de formes temporelles. L'âme est la source qui génère l'identité sur terre ; elle exprime la nature universelle et jouit de la connaissance universelle.

AMOUR INCONDITIONNEL : état où n'existe aucune condition susceptible de diminuer la constance ou la qualité de l'amour.

AMPLITUDE FRÉQUENTIELLE : degré de réalisation d'une fréquence dans quelque circonstance que ce soit, par raport à son potentiel. Les amplitudes fréquentielles reflètent le degré d'inclusion dans la conscience d'une personne des valeurs participant de la Totalité de ce qui est. L'amplitude fréquentielle d'une valeur est ce qui détermine son intensité d'émission et son magnétisme. Les vibrations d'une fréquence constituent son signal d'émission local ; la conscience est leur véhicule.

CONSCIENCE HUMAINE : capacité de focaliser, de diriger et de donner un sens à la conscience de soi.

CRÉATIFS CULTURELS : ceux qui, selon le Dr Paul Ray, incarnent la culture transformatrice naissante.

DÉSALIGNEMENT : état qui découle d'une conception erronée, du rejet ou de l'inversion d'une valeur.

ÉNERGIE : substance qui compose tout ce que comprend l'Univers ; on dit également force vitale ou chi. L'énergie constitue la force séminale de tout.

ÉNERGIE NÉGATIVE : énergie désalignée susceptible d'être perçue comme négative depuis une perspective dualiste parce qu'elle n'exprime pas encore sa nature universelle et qu'elle n'est pas orientée vers ses potentialités universelles.

ÉNERGIE POSITIVE : énergie qui exprime sa nature universelle et qui est orientée vers ses potentialités universelles.

ESPACE ASTRAL : zone transitoire dans chaque système entourant les réalités planétaire et dimensionnelle de l'Univers. Il ne s'agit pas d'un « plan » astral comme on l'entend fréquemment, mais bien d'un réseau intégral d'espaces, ou zones, dimensionnels. Les zones astrales ont une fonction similaire pour l'ensemble des êtres de l'Univers et non seulement pour les êtres humains ; ce sont des zones de conscience transitoires des réalités temporelles créées par ceux qui ont une raison de les produire. L'espace astral est compatible avec un vaste spectre d'amplitudes fréquentielles et de constructions de valeurs.

ESPRIT : ce qui sert d'interface et intègre l'état séminal d'existence avec les manifestations temporelles individuées de l'être – vous en êtes un exemple. Il s'agit de l'énergie émanant d'une âme universelle en vue de constituer un être local et/ou personnifié et de lui accorder la puissance des potentiels de la Totalité de ce qui est.

ÊTRE COSMIQUE : autre terme désignant l'être universel évolué. Cependant, un être cosmique n'est pas forcément universellement illuminé.

ÊTRE DE L'UNIVERS : membre de la population universelle.

ÊTRE UNIVERSEL : membre de la population de l'Univers ayant atteint l'illumination universelle et, de ce fait, étant apte à participer consciemment à quelque système ou état d'existence que ce soit. L'être universel existe au-delà de la dualité, au-delà du modèle évolutif et des modèles terrestres définissant Dieu.

FRÉQUENCE/VALEUR : toute chose, sensation ou pensée, tout être ou toute condition qui a jamais été ou qui sera jamais possède une fréquence essentielle comme principe organisateur. Chaque fréquence représente sa propre valeur, qui est unique. (Voir Valeur universelle.)

IDENTITÉ RÉELLE D'UNE PERSONNE : état inaltéré/non manipulé de son intégrité.

IET : sigle international désignant l'intelligence extraterrestre, le champ de conscience appartenant aux êtres universels non locaux et aux êtres locaux qui participent consciemment au Grand Univers.

IETI : sigle international désignant l'intelligence extraterrestre illuminée, qui constitue le champ de conscience appartenant aux êtres universels évolués sans toutefois être universellement illuminés. (Voir être de l'Univers et être universel.)

ILLUMINATION : réalisation du potentiel d'un être par rapport à son intégrité physique, émotionnelle, psychologique, intellectuelle, transpersonnelle et spirituelle – réalisation à la fois individuelle et en coopération synchronique avec l'ensemble des êtres.

INTÉGRALISME : compréhension qu'au sein d'un contexte multidimensionnel, chaque aspect du tout comprend le tout et le crée simultanément par les stimuli et les réponses qu'il incarne.

LIBRE ARBITRE : médium conceptuel permettant l'autoexpression autonome particulière à un être. Le libre arbitre est un instrument d'innovation qui permet l'expression des potentialités de la nature ; grâce à lui, les subtilités et nuances de la Totalité de ce qui est se dévoilent et se manifestent sous forme d'une diversité de phénomènes en perpétuel changement. Toute énergie possède intrinsèquement la liberté d'autoexpression attribuée au concept de libre arbitre, qui se présentera différemment selon les divers états d'existence.

MAGNÉTISME VIBRATOIRE SYMPATHIQUE : ce qui appartient à la nature fondamentale de tout ; il s'agit de la capacité inhérente d'une entité d'énergie d'attirer à elle ce dont elle a besoin pour sa transformation ou sa réalisation. Il n'est pas question de magnétisme dans son acception usuelle dans le cadre de l'électromagnétisme, celui-ci n'étant qu'un aspect distinct du magnétisme universel.

MAL : expression d'une valeur désalignée ou invertie susceptible d'être perçue comme « mal » depuis une perspective dualiste. Il s'agit d'une énergie qui n'exprime pas encore sa nature universelle et qui n'est pas encore dirigée vers ses potentialités universelles.

SOURCE/DIEU/TOTALITÉ DE CE QUI EST : plusieurs termes visant à décrire la source intégrale et souveraine d'où émanent tous les états d'existence. Ces désignations sont déterminées par la profondeur et le degré de compréhension de la nature de l'Univers.

SUBJECTIVITÉ : valeur universelle ou attribut de la Totalité de ce qui est permettant à un être doué de la conscience de soi d'être le créateur de ses expériences en accordant aux objets et aux situations d'infinies variations et significations.

SYNTROPIE : processus par lequel fusionnent plusieurs parties d'un tout, révélant et rendant accessibles certaines dimensions de ces parties et du tout qui demeuraient auparavant inconnues ou inaccessibles. Par le fait même, le système au sein duquel les parties sont identifiées accède à une énergie qui augmente son intégrité ; ledit système est également susceptible de subir une transformation ou une transmutation résultant de la syntropie.

TRANSFORMATION : processus par lequel un système intégral change sa structure et son comportement sans toutefois que sa nature soit altérée.

TRANSMUTATION : processus par lequel un système intégral opère un changement fondamental de sa structure et de son comportement à un point tel que certains aspects de sa nature se révèlent. La transmutation peut comporter la transfiguration, de même que la manifestation de formes nouvelles. Au cours de la transmutation, le système et l'ensemble de ses potentiels seront projetés en un état d'intégrité plus grand, par le biais de moyens qui transcendent à la fois l'état antérieur et celui nouvellement incarné.

UBIQUITÉ : faculté de se manifester simultanément, avec ou sans forme, à deux endroits ou dans deux états d'existence, et qui résulte naturellement de la réalisation d'une relation égale entre le Soi et l'âme. Lorsque cette égalité existe, chacun des aspects apporte les ressources de sa propre nature à la forme de l'autre. L'ubiquité n'exige pas que l'âme soit unifiée ; elle requiert cependant l'alignement de l'âme. (Voir Alignement de l'âme et Unification de l'âme.)

UNIFICATION DE L'ÂME : état dans lequel les pensées, les intentions et les attitudes d'une identité expriment entièrement et spontanément la nature de son âme.

VALEUR AXIALE : valeur noyau ou valeur centrale au sein d'une constellation de valeurs. Son magnétisme orchestre toutes les autres fréquences qui se rapportent à elle. Votre valeur axiale détermine vos priorités créatrices et le continuum de conscience engendrant vos idées, vos choix et vos actions.

VALEUR UNIVERSELLE : aspect de la Source qui est individué au sein du tout intégral et qui est nanti d'un pouvoir lui permettant l'autoexpression. Une valeur universelle s'exprime à la fois comme fréquence et comme forme-pensée.

VIBRATION : stimulus que transmet une fréquence à l'intérieur des réalités tridimensionnelles et qui est ressenti comme vibration. Il s'agit du signal d'émission local d'un fréquence/valeur ; la plus infime altération d'un état produit un changement des vibrations transmises par vous ou par toute autre incarnation d'une fréquence/valeur.

QUELQUES EXEMPLES DE LIVRES D'ÉVEIL PUBLIÉS PAR ARIANE ÉDITIONS

La série Conversations avec Dieu

Anatomie de l'Esprit

Sur les ailes de la transformation

Voyage au cœur de la création

L'Éveil au point zéro

Partenaire avec le divin (série Kryeon)

Les neuf visages du Christ

Les enfants indigo

Le réveil de l'intuition

Les dernières heures du soleil ancestral

Le futur de l'amour